Le Bridge

Du même auteur

· *Le bridge rendu facile*
   (Traduit de Caroline Sydnor)
   Éditions Gaf et De Mortagne
   Jeu de cartes spécial pour *le bridge rendu facile*.

· *Le bridge, mes conventions*
   Éditions Gaf

· *Condensé du système*
   Édition Gaf
   Troisième édition (1991)

Commandes acceptées
Les éditions
Gaf
a/s Gérard Falardeau
7095 boul. Gouin Est, app. ~~802~~ 1409
Montréal (Québec)
H1E 6N1

G.A. Falardeau

Le Bridge

Manuel d'introduction

[dédicace manuscrite : « à Monica avec mes hommages et meilleurs vœux — Gérard Falardeau 96/04/29 »]

Les éditions
Gaf

Éditions de Mortagne

Édition:
Les Éditions de Mortagne
250, boul. Industriel, bureau 100
Boucherville (Québec)
J4B 2X4
et
Les Éditions Gaf

Distribution:
Tél.: (514) 641-2387
Téléc.: (514) 655-6092

Dépôt légal:
Bibliothèque nationale du Canada
Bibliothèque nationale du Québec
2e trimestre 1991

ISBN: 2-89074-192-3

1 2 3 4 5 - 91 - 95 94 93 92 91

Imprimé au Canada

À mes élèves qui m'ont incité à écrire ce manuel.
À mon épouse qui m'a si bien secondé.
À monsieur Paul Godin qui a mis à ma disposition sa vaste expérience.

Table des matières

Préface

Mon bon ami Gérard Falardeau a de longue date été captivé par le jeu de bridge. Ses nombreuses activités professionnelles l'ont empêché de participer à autant de compétitions qu'il l'aurait désiré. Tout de même, à chaque tournoi, son nom figurait régulièrement avec avantage. En septembre 1976, il s'adjugeait la première place dans un des plus grands tournois d'équipes de quatre joueurs, mouvement suisse, à Montréal. Il détient le titre de Maître à Vie de «l'American Contract Bridge League», honneur tant convoité par tous les adeptes du jeu de bridge duplicata.

Une fois arrivé à la retraite, il s'est donné pour but de continuer ses activités sur une plus grande échelle. À cette fin, il donne régulièrement des cours de bridge, et c'est réellement édifiant de voir l'abondance des documents qui contribuent à l'initiation des débutants ou au perfectionnement des joueurs plus avancés.

Il décide maintenant d'écrire des manuels de bridge.

Voici son premier qui j'en suis certain, intéressera les débutants, les joueurs plus avancés et même les bons joueurs de la Ligue de Bridge.

J'ai accepté son invitation de le passer en revue et, en connaissance de cause, je puis affirmer que ce volume sera une importante addition à la littérature traitant du jeu de bridge. Mentionnons, en passant, que les écrivains québécois dans cette matière sont très peu nombreux et la popularité de ce noble jeu ne fera que progresser davantage avec l'édition de ce nouveau volume.

Il serait injuste de passer sous silence tout le mérite qui revient à Madame Falardeau pour le franc support qu'elle a su fournir à son mari, tant sur le plan professionnel que sur le plan bridge. Ce support moral n'est pas sans se refléter dans les succès que Gérard a su se mériter.

Permettez-moi d'ajouter un mot spécial à l'adresse de tous les jeunes joueurs canadien-français, dames et messieurs. Devenez membres de «l'American Contract Bridge League» et venez passer de bons moments à la table de bridge. Le chemin pourra parfois paraître très ardu, mais l'effort fourni vous procurera beaucoup de satisfaction. On vous attend.

Paul Godin
Maître à vie

Avant-propos

Après deux ans d'enseignement du bridge, plusieurs de mes élèves m'ont souligné, et j'avais pu le constater moi-même, qu'il existait une grave lacune : l'absence complète de manuel pour les élèves francophones.

Il existe peu de bons livres écrits en français et le meilleur en la matière était sûrement *Améliorons le Bridge*, écrit par le docteur Charles Durand.

Voici donc la première version de mon premier manuel de bridge.

Je me suis inspiré pour l'écrire, des meilleurs auteurs américains et français[1], et mon texte est basé sur le «Standard American». C'est d'ailleurs le système joué par le plus grand nombre de bridgeurs au monde. Toutefois mes enchères sont appuyées complètement sur les ouvertures en majeure avec un minimum de cinq cartes, système appelé communément : «LA MAJEURE À CINQ».

---

1. Ely Culbertson, Charles H. Goren, Edwin B. Kantar, Alfred Sheinwold, Pierre Albarran.

Vous y trouverez aussi une touche personnelle et quelques conventions qui sont devenues pour moi essentielles. Elles font d'ailleurs partie des règles fondamentales de déclarations et de jeu de la majorité des joueurs américains et européens.

Parmi celles-ci, il y a évidemment «Stayman» que j'explique dans mon quatrième chapitre. Vous vous initierez aussi à l'enchère conventionnelle d'ouverture à «2 Trèfles», enchère qu'utilisent la majorité des bridgeurs américains et canadiens, pour ne pas nommer les Européens.

J'entame de l'As avec ARx, comme la majorité des joueurs européens et une partie de plus en plus importante des bridgeurs américains et canadiens.

Ce manuel est davantage pour les joueurs débutants, mais même les joueurs plus avancés pourront y trouver leur profit, car plusieurs de ces joueurs traînent encore avec eux des déclarations et des manières de jouer erronées.

Gérard Falardeau

Introduction

Règles du jeu.

Le bridge se pratique à quatre joueurs formant deux équipes.

Pour la commodité, on utilise deux jeux de 52 cartes, de couleur différente, naturellement.

Les équipes sont formées au hasard à l'aide de l'un des deux jeux. Chacun tire une carte et les deux joueurs qui tirent les deux plus hautes cartes forment une des paires (qu'on peut appeler paire Nord-Sud). L'autre paire est formée de ceux qui ont choisi les deux plus basses cartes (qui sera la paire Est-Ouest).

Après une partie, qui s'appelle un robre au bridge, les joueurs changent de partenaire de façon que chaque joueur joue à tour de rôle avec chacun des autres.

Le joueur qui a tiré la plus haute carte devient le donneur. Il distribue les 52 cartes, une à une, dans le sens des aiguilles d'une montre, soit de gauche à droite. Ces cartes ont d'abord été brassées par l'adversaire de gauche et coupées par celui de droite. Pendant ce temps, le partenaire du donneur brasse l'autre jeu et le place à sa droite, de façon à ce qu'il soit prêt pour la donne suivante.

Chaque joueur a donc treize cartes dans sa main, et il y aura à la fin du jeu, treize levées, chaque levée comprenant une carte de chaque joueur.

L'As est la carte la plus forte suivi du Roi, de la Dame, du Valet et du 10 que l'on appelle les 5 honneurs. Viennent ensuite les basses cartes dans l'ordre : 9, 8, 7, 6, 5, 4, 3, 2.

C'est le donneur qui déclare le premier : avec une main faible (que nous saurons évaluer plus tard), il dira « passe » et son adversaire de gauche aura le droit de faire une enchère à son tour, et ainsi de suite. Si les quatre joueurs passent, la donne est nulle, mais si un des joueurs fait une enchère, chacun à son tour a droit de surenchérir, jusqu'à ce que trois joueurs passent successivement.

La déclaration finale est appelé le contrat, et le joueur qui, le premier, a demandé la couleur ou sans-atout devient le déclarant, et c'est lui qui joue la main.

Le joueur à la gauche du déclarant est celui qui entame (qui joue le premier à la première levée).

Après l'entame, le partenaire du déclarant étend son jeu ; il devient le mort, et c'est le déclarant, qui, en plus de jouer son propre jeu, joue celui du mort.

Les 6 premières levées remportées par le déclarant s'appellent le livre, et le joueur qui fait, disons, une enchère de un carreau, s'engage à remporter le livre plus une levée, soit 7 levées, avec carreau comme atout. Si son partenaire renchérit à 2 carreaux, la main sera encore jouée par celui qui a déclaré carreau le premier, mais il devra faire 6 + 2 ou 8 levées. On ne peut donc déclarer plus haut que 7, ce qui veut dire 13 levées. Celui qui déclare 6 et qui fait les 12 levées requises a réussi un petit chelem et celui qui déclare 7 et fait les 13 levées, a réussi un grand chelem.

Ce sont des déclarations relativement rares et qui procurent beaucoup de points et beaucoup de joie à ceux qui réussissent.

En plus de déclarer une couleur quelconque, un joueur peut aussi déclarer sans-atout ; il s'engage ainsi à réussir des levées à un contrat où il n'y aura pas d'atout, et où l'As sera toujours la meilleure carte et le deux la plus basse, dans la couleur jouée. La couleur la plus chère est pique, suivie de cœur, carreau et trèfle dans l'ordre, mais sans-atout est plus cher que pique.

Le contrat le plus petit possible est donc un trèfle suivi de un carreau, un cœur, un pique, un sans-atout, 2 trèfles, 2 carreaux, etc... et le plus élevé est 7 sans-atout.

Dans un contrat à l'atout, la carte la plus forte est encore l'As, mais un adversaire qui ne peut fournir de la couleur peut couper, (il n'est jamais obligé de le faire) c'est-à-dire qu'il peut jouer un atout qui devient alors plus fort que la couleur demandée, et qui remportera la levée, sauf si un atout plus fort est joué sur la même levée par un autre joueur qui n'a plus de cartes de la couleur demandée.

Les enchères sont faites à tour de rôle, mais chaque joueur doit faire une enchère supérieure à celle déjà faite, soit un cœur après un carreau, ou 2 trèfles après un pique, le contrat final étant l'enchère la plus forte suivie de trois passes.

EXEMPLE :

N	E	S	O
Passe	Passe	1 ♠	2 ♦
2 ♥	Passe	2 ♠	Passe
Passe	Passe		

Sud ne peut plus déclarer, et le contrat est donc 2 piques par Sud.

Le pique et le cœur sont les couleurs dites majeures, et le trèfle et le carreau sont les couleurs mineures.

Si le déclarant réalise son contrat, il marquera des points pour son équipe ; sinon, il subira une pénalité[1].

Le robre (la partie) est terminé quand un même côté a réussi deux manches. Quand un côté a fait une manche, il est vulnérable, et s'expose alors, s'il rate un contrat, à une plus forte pénalité.

La manche vaut 100 points.

En sans-atout la première levée[2] vaut 40 points et les autres 30 points ; en majeure (pique et cœur) chaque levée vaut 30 points et en mineure (carreau et trèfle), chaque levée vaut 20 points.

Une manche peut donc se faire à 3 sans-atout :

$$(40 + 30 + 30 = 100)$$

ou à 4 en majeure :

$$(4 \times 30 = 120)$$

ou 5 en mineure :

$$(5 \times 20 = 100)$$

---

1. Voir appendice 2 pour la marque complète des points.
2. En plus du livre.

La manche peut aussi se réaliser en deux fois (avec deux marques partielles). Une équipe peut faire, une première fois, deux piques = 60 et ensuite trois carreaux = 60

$$(60 + 60 = 120)$$

ou 2 trèfles = 40

$$(60 + 40 = 100)$$

Avant d'entrer dans le vif du sujet, permettez-moi d'ajouter que la plus grande différence entre le bridge et un autre jeu de cartes (inclus son ancêtre, le whist) est le système des enchères qui peut être très scientifique et en conséquence très précis.

Vous avez une main de treize cartes qui a une certaine valeur par elle-même, mais sauf de rares exceptions où la main est très puissante, sa force dépend de celle du partenaire.

C'est la puissance combinée des deux mains qui vous permettra de décider du nombre de levées que vous pouvez réaliser et permettra aussi de réussir un contrat.

Vos treize cartes ne représentent que la moitié des forces de votre équipe et les treize cartes de votre partenaire complètent ses effectifs.

C'est un jeu d'équipe, il ne faut jamais l'oublier et les enchères sont donc essentielles pour vous faire une bonne idée des treize cartes de votre partenaire.

Les deux partenaires se renseignent mutuellement sur les diverses particularités de leur main et plus les renseignements donnés seront précis, plus facile ce sera d'atteindre le bon contrat.

Puisqu'il n'est pas permis de dire à votre partenaire combien d'As ou combien de carreaux vous avez, en langage ordinaire, vous devez le faire en langage de bridge, par les enchères.

Mon manuel se propose de vous faciliter la tâche des enchères, mais sachez dès maintenant qu'il y a deux éléments de force qui entrent en ligne de compte dans une main, la puissance des honneurs, le nombre d'As, de Rois, de Dames etc, que vous possédez et la distribution de vos cartes.

Vous verrez combien est valable le fait d'avoir, disons, 6 piques, 5 cœurs et 2 carreaux, plutôt que 4 piques, 3 cœurs, 3 carreaux et 3 trèfles.

Mon manuel vous aidera à évaluer votre main en force d'honneurs et en force de distribution et vous permettra de le dire, scientifiquement, à votre partenaire.

Règles d'éthique

On joue au bridge depuis très longtemps à travers le monde, et au fil des années, des règles d'éthique se sont installées. Une violation de ces règles n'amène aucune pénalité mais elle est considérée comme malhonnête et de mauvais goût.

Ne parlez jamais avec emphase ou avec une inflexion inhabituelle dans la voix, ce qui pourrait donner des indications à votre partenaire sur votre main de bridge.

Ne profitez pas des déductions que vous pourriez faire en voyant à quel endroit un joueur prend une carte dans son jeu.

Ne montrez ni satisfaction ni déplaisir quand votre partenaire entame, joue, demande une couleur, contre ou fait n'importe quelle autre enchère.

Ne profitez pas d'une hésitation de votre partenaire ou du fait qu'il a demandé une couleur avec emphase ou avec une inflexion dans la voix.

21

N'hésitez pas en faisant une enchère ou en jouant, trompant ainsi vos adversaires.

Ne vous servez pas de conventions bien connues de votre partenaire, mais que vous n'avez pas expliquées à vos adversaires. Nous entendons par conventions, une enchère, un contre ou un surcontre qui a une signification bien spéciale pour votre partenaire mais qui ne correspond pas à la façon habituelle de demander de vos adversaires.

Ne sortez jamais une carte de votre main pour une levée avant que les cartes de la levée précédente n'aient été tournées, ce qui pourrait renseigner votre partenaire sur les cartes qui vous restent.

N'attirez pas l'attention de votre partenaire sur la feuille de pointage.

Ceci étant dit, vous n'êtes toutefois pas obligé d'attirer l'attention, si vous faites une violation de la loi, comme par exemple une renonce ou toute autre faute qui pourrait vous amener une pénalité.

Définitions des termes les plus courants du bridge

Chicane : Absence de carte dans une couleur.

Contrat : La déclaration finale en atout ou en sans-atout.

Contre : Une enchère faite dans l'intention de pénaliser les adversaires en augmentant les primes accordées à chaque levée de chute du contrat. On l'appelle habituellement contre de pénalité.

Contre d'appel : Un contre conventionnel qui demande à son partenaire de faire une déclaration.

Couleur d'atout : La couleur choisie par le déclarant en coopération avec son partenaire pour jouer la main.

Couper : Jouer un atout, quand on n'a plus aucune carte de la couleur demandée. Un atout l'emporte sur toute autre carte (qui n'est pas atout). Si plus d'un atout est joué sur une levée, le plus haut emporte la levée.

Déclarant : Le joueur du côté des contractants qui a déclaré la couleur (ou sans-atout) le premier.

Déclaration : Le nombre de levées au dessus de six que le déclarant s'attend à réussir avec l'aide de son partenaire.

Défenseurs : Les adversaires du déclarant. Si un défenseur coupe une levée, son partenaire a le privilège de lui demander : « Pas de... partenaire » ?

Donneur : Celui qui distribue les cartes. Il a l'avantage de faire la première enchère.

Doubleton : Le fait de n'avoir que deux cartes dans une couleur.

Enchère : Toute déclaration, plus « passe », « contre » et « surcontre ».

Entame : La première carte jouée par l'adversaire de gauche du déclarant.

Fourchette : Série de cartes qui peuvent prendre des cartes de l'adversaire en impasse. Ex. : AD6 RV97.

Honneurs : L'As, le Roi, la Dame, le Valet et le 10.

Impérative : Se dit d'une enchère qui oblige le partenaire à déclarer.

Levée : L'ensemble des quatre cartes jouées tour à tour par les joueurs autour de la table. La plus haute carte de la couleur (ou l'atout s'il y a coupe), emporte la levée.

Livre : Les six premières levées prises par le déclarant.

Main : L'ensemble des treize cartes distribuées à chacun des joueurs.

Marque : Manière de compter les points au bridge.

Mort : Le partenaire du déclarant ; il étend sa main[1] sur la table immédiatement après l'entame. Le déclarant joue les cartes du mort aussi bien que ses propres cartes. Le mort n'a pas le droit de parler, durant le jeu de la main, sauf pour empêcher son partenaire de faire une renonce, ou de jouer de la mauvaise main.

Ouvreur : Celui qui fait la première déclaration.

Partenaire : Le joueur qui prend place en face de vous. Traitez-le toujours avec respect et courtoisie.

Relance : Une déclaration faite par l'adversaire de l'ouvreur.

Renonce : Le fait de ne pas jouer une carte de la couleur demandée quand on en possède une ou plusieurs.

Sans-atout : Un contrat joué sans couleur d'atout.

Séquence : Trois ou plusieurs cartes qui se suivent : Ex. : RDV109.

Signal : Une carte jouée qui demande au partenaire un retour dans une couleur particulière. Faire un signal est parfaitement légal et peut être très utile.

Singleton : Le fait de n'avoir qu'une seule carte dans une couleur.

Surenchère : Toute déclaration faite par les adversaires de l'ouvreur, plus «passe», «contre» et «surcontre».

---

1. qui s'appelle aussi le mort.

1

Sans-atout

Les mains les plus faciles à déclarer dans le «Standard American» sont les mains qui ont été ouvertes en sans-atout, parce que l'ouverture en sans-atout décrit la main de façon très précise.

Évaluation de la main

As = 4 points d'honneur (PH)
Roi = 3 points d'honneur (PH)
Dame = 2 points d'honneur (PH)
Valet = 1 point d'honneur (PH)

Dans le jeu il y a donc un total de 40 PH et 10 PH est la moyenne dans une main.

Plus-values :

Couleur de 5 cartes.
Les 10 et les 9, surtout dans les combinaisons : RV10-AD10-DV10 et A109

On remarquera qu'il faut un peu moins de 3 PH pour produire une levée à sans-atout.

7 fois 3 = 21 – Pour faire 1 SA il faut de 19 à 21 points[1]

8 fois 3 = 24 – Pour faire 2 SA il faut de 21 à 23 points[1]

9 fois 3 = 27 – Pour faire 3 SA il faut de 25 à 26 points[1]

12 fois 3 = 36 – Pour faire 6 SA il faut 33 à 34 points[1]

13 fois 3 = 39 – Pour faire 7 SA il faut 37 à 38 points[1]

Marque : (sans-atout)

1ère levée[2]	40 points
Autres[2]	30 points
Manche	100 points = 3 SA

Ouverture à un sans-atout :

15 à 18 PH[3]

Distribution balancée : (4-3-3-3- 4-4-3-2- 5-3-3-2)

Trois couleurs protégées : A4 ou R6(2) ou D84(2) ou V982 ou mieux.

Exemples de main balancée :

♠ D543	♥ RV3	♦ A98	♣ AD4
♠ RD73	♥ AR62	♦ 982	♣ AD
♠ D4	♥ AD7	♦ D87	♣ AR952

---

1. Ordinairement (dans les deux mains).
2. En plus du livre.
3. Avec quinze mauvais points ou dix-huit bons points, il vaut mieux ouvrir un dans une couleur.

Combien avez-vous de PH dans les mains suivantes et quelle est votre déclaration d'ouverture ?

1) ♠ AV84   2) ♠ RD8   3) ♠ A84   4) ♠ DV10
   ♥ D63   ♥ D87   ♥ AD762   ♥ RD6
   ♦ ADV   ♦ A6   ♦ RV6   ♦ AR7
   ♣ DV7   ♣ AV754   ♣ D9   ♣ RV74

5) ♠ AR2   6) ♠ AR62   7) ♠ AR64   8) ♠ DV6
   ♥ D94   ♥ 74   ♥ ARV3   ♥ RD74
   ♦ R984   ♦ RV83   ♦ 98   ♦ RV2
   ♣ AD8   ♣ AD8   ♣ D62   ♣ A86

9) ♠ AD86   10) ♠ DV6   11) ♠ AV854
   ♥ RDV8   ♥ RD4   ♥ 64
   ♦ AD   ♦ RD864   ♦ AR
   ♣ 863   ♣ A8   ♣ RD83

Réponses à un sans-atout avec une main balancée : c'est de l'arithmétique pure et simple.

0 à 7 PH = passe 8 à 9 PH[4] = 2 SA 10 à 14 PH = 3 SA

Exemple :
♠ V84, ♥ 63, ♦ RV5, ♣ AD643 (11 + 16) 27 PH = 3 SA.

Remarque — Il peut arriver qu'avec six ou sept PH vous manquiez une manche, si l'ouvreur a une main maximum, mais il faut accepter philosophiquement le fait qu'on ne peut déclarer toutes les manches réalisables.

---

4. 7 PH avec une mineure raisonnable de 5 cartes.

Votre partenaire a ouvert 1 SA ; combien avez-vous de PH dans les mains suivantes et quelle est votre réponse ?

12) ♠ A62 13) ♠ 8743 14) ♠ 84 15) ♠ 95
    ♥ 943   ♥ A8   ♥ A92   ♥ 964
    ♦ 972   ♦ V63   ♦ RV63   ♦ R84
    ♣ DV72   ♣ DV72   ♣ DV52   ♣ A10842

16) ♠ D92 17) ♠ RV4 18) ♠ V54 19) ♠ D84
    ♥ V102   ♥ R93   ♥ 9743   ♥ D1085
    ♦ 7532   ♦ D943   ♦ AV9   ♦ 1083
    ♣ RD9   ♣ 954   ♣ 1084   ♣ A98

20) ♠ RD8 21) ♠ R82
    ♥ 64   ♥ V84
    ♦ 862   ♦ 8762
    ♣ AV943   ♣ R43

Vous avez ouvert 1 SA, votre partenaire a répondu 2 SA : quelle sera votre redéclaration ?

22) ♠ RD4 23) ♠ RD76 24) ♠ A654
    ♥ A7   ♥ RD4   ♥ R9
    ♦ RD93   ♦ R54   ♦ AD3
    ♣ RV64   ♣ A64   ♣ R984

25) ♠ AD   26) ♠ DV4 27) ♠ AV107
    ♥ A87   ♥ AV9   ♥ AV
    ♦ RDV87   ♦ D83   ♦ D84
    ♣ V75   ♣ AD97   ♣ RD109

Déclarant	Répondant	
1 SA	0 à 7 PH	Passe
15 à 18 PH	8 à 9 PH	2 SA
Distribution balancée	10 à 14 PH	3 SA
3 couleurs protégées		

Le jeu de la main en sans-atout :

Comme déclarant :
Le déclarant est celui qui a nommé sans-atout le premier. Son adversaire de gauche a le privilège de l'entame.
Le partenaire du déclarant étend alors son jeu et il devient le « mort ». Le déclarant voit le jeu de son partenaire et joue même ses cartes, ce qui lui procure un avantage certain.

Comme déclarant, il doit, aussitôt que l'entame a eu lieu et que le mort a étendu son jeu, faire un plan de jeu :

1. Compter ses gagnantes sûres.

2. Calculer combien de levées additionnelles il lui faut et décider dans quelle couleur il essaiera de les faire.

3. Constater où sont les faiblesses de sa main et agir en conséquence :

   a) en laissant passer un, deux ou même trois tours d'une couleur, afin de couper les communications entre les adversaires.

b) en prenant les impasses, s'il y a lieu, de façon à éviter la main dangereuse.

c) en jouant toutes les cartes d'une couleur longue, de façon à obliger les adversaires à se défausser de cartes qui pourraient leur être utiles.

Comme défenseur :

1. Réaliser qu'un contrat à sans-atout est une lutte pour établir des basses cartes dans des couleurs longues.

2. Refuser de gagner une levée à la 1ère ou à la 2ième occasion offerte, de façon à couper les communications entre le déclarant et le mort.

3. Retourner (généralement) la couleur entamée par votre partenaire, ce qui lui fera probablement plaisir. Il faut toutefois considérer un changement possible de couleur.

4. Essayer de garder les communications ouvertes entre votre main et celle de votre partenaire.

Planifiez le jeu de la main suivante :

Nord	*Sud*		*S*	*O*	*N*	*E*
♠ V1082	♠ R963		1 SA	P	3 SA	P
♥ RV6	♥ A54		P	P		
♦ V853	♦ AR6					
♣ A6	♣ R94					

Entame : dame de trèfle.

28. De combien de levées avez-vous besoin ?...

29. Combien en avez-vous (en tête) ?...

30. Devez-vous prendre la 1ère levée ?...

31. Pourquoi (ou pourquoi pas) ?...

32. Quelle couleur devez-vous attaquer pour faire des levées additionnelles ?...

33. Comment devez-vous jouer les piques ?...

Un contrat en sans-atout est une course entre le déclarant et les défenseurs, chaque côté essayant d'établir sa couleur longue avant l'autre.

Quand un adversaire a une couleur établie, on l'appelle l'adversaire dangereux, et il faut éviter de lui donner la main. Ce n'est pas toujours possible mais si vous pouvez, vous devez prendre une impasse de manière à ce que, si elle rate, ce soit l'adversaire non dangereux qui prenne la main.

Essayons maintenant de planifier les mains suivantes :

Nord	Sud
♠ 943	♠ AR62
♥ A8	♥ R4
♦ 1082	♦ AD43
♣ RDV104	♣ 652

16 + 10 = 26 = 3 SA   Entame : Dame de cœur

34) Combien avez-vous de levées ?

35) Combien de levées en tête ?

36) Où trouver les levées additionnelles ?

33

37) Doit-on prendre ou laisser passer ?

38) Élaborez votre plan.

Nord	Sud
♠ RDV4	♠ A62
♥ A43	♥ RV109
♦ 84	♦ A63
♣ 9842	♣ AV5

17 + 10 (27) = 3 SA   Entame : Roi de carreau

39) Combien avez-vous de levées ?

40) Combien de levées en tête ?

41) Où trouver les levées additionnelles ?

42) Doit-on prendre ou laisser passer ?

43) Élaborez votre plan.

2

Ouverture à un dans une couleur

Les contrats en sans-atout sont de prime abord la « bonne affaire ». Les levées comptent plus (la 1ère levée vaut 40), et il faut moins de levées pour faire une manche. En théorie, c'est le plus facile à jouer. Toutefois, sans-atout est le contrat le plus traître. C'est celui où vous pouvez le plus facilement être défait. Il est beaucoup plus sage de jouer en majeure, si vous possédez huit cartes d'atout dans les deux mains. On compte à peu près la même valeur en hautes cartes pour faire 4 cœurs ou 4 piques que pour faire 3 sans-atout.

3 SA demande de 25 à 26 points d'honneur.

4 ♥ ou 4 ♠ demandent de 26 à 27 points d'honneur et de distribution.

Les deux grandes forces d'une main de bridge sont les points d'honneur (PH) et la distribution. Quand vous évaluez votre main pour ouvrir les enchères, il vous faut absolument tenir compte de ces deux forces.

Évaluation de la main de l'ouvreur :

Points d'honneur (PH) | **Points de distribution (PD)**

As = 4	Couleur 5e = 1 point
R = 3	Couleur 6e = 2 points
D = 2	2e couleur 4e = 1 point
V = 1	2e couleur 5e = 2 points

Note : Points d'honneur + points de distribution = Points HD

Main minimum pour ouverture

12 points[1] si vous avez 2 levées de défence rapide (DR) ou 14 points.

Levées de défense rapide :

AR = 2 levées   RD = 1 levée
AD = 1½ levée   R6 = ½ levée
A = 1 levée

---

1. Ouvrir faible, défendre fort.

Ainsi pour l'ouverture, une distribution de...

> 5-3-3-2 ou 4-4-3-2 vaut 1 PD
> 5-4-2-2 ou 5-4-3-1 : 2 PD,
> 6-4-2-1: 3 PD,
> 6-5-1-1, 6-5-2-0, 7-4-1-1 : 4 PD.

Dans ces trois derniers cas, il est même assuré que la valeur de la main est nettement supérieure à cette évaluation.

Marque

Majeures : pique et cœur : 30 points par levée[1]
Mineures : carreau et trèfle : 20 points par levée[1]
Sans-atout : 40 points 1ère levée[1]
  30 points chacune des autres levées[1]
Manche : 100 points.

Ordre d'importance des couleurs

Sans-atout
Pique
Cœur
Carreau
Trèfle

---

1. En plus du livre.

Dans la main suivante :

♠ AD86	Vous avez 17 points, 3 couleurs protégées.
♥ 8	Mais votre distribution ne convient pas à
♦ AR854	SA. Les adversaires pourraient ruiner votre
♣ A108	contrat avec des attaques répétées à cœur.

Cette main par contre convient parfaitement à un contrat à l'atout. Si vous jouez en carreau (ou en pique) vous pourrez couper les coeurs. En carreau, votre main vaut 19 points[1] et vous avez 4½ levées de défense rapide.

Comment choisir l'ouverture en couleur ?

1) Une majeure de 5 cartes ou plus (pique ou cœur).

2) Une mineure de 5 cartes ou plus (carreau ou trèfle).

3) Une mineure de 4 cartes.

4) La meilleure mineure de 3 cartes.

COULEUR D'ATOUT IDÉALE :
8 cartes avec de gros honneurs

---

1. 1 point pour la longueur ♦
   1 point pour la longueur ♠ (2ᵉ couleur longue)

Dans chacune des mains suivantes combien avez-vous de points ?

Quelle doit être votre enchère ?

1) ♠ ARV65	2) ♠ A10842	3) ♠ AD6
♥ 94	♥ 84	♥ AD875
♦ 53	♦ 63	♦ 9
♣ RD73	♣ ARD9	♣ RV83

4) ♠ 984	5) ♠ RV82
♥ DV4	♥ 942
♦ AR943	♦ D82
♣ 72	♣ A42

Comment gagner des levées

1) Avec les hautes cartes A, R, D etc.

2) Avec les couleurs longues : ARDV42, si c'est l'atout ou s'il n'y a plus d'atout.

3) En coupant :

```
           ♠ 3
           ♥ V1094
        ┌─────────┐
        │    N    │
        │    S    │
        └─────────┘
           ♠ A82
           ♥ AR63
```

Si cœur est atout, vous pouvez jouer votre As de pique, et faire ensuite couper au mort vos deux perdantes dans cette couleur.

4) En faisant des impasses :

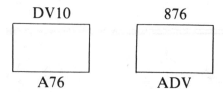

En jouant vers l'As, vous ferez une levée de plus si le Roi est à droite.

Votre partenaire a ouvert de la couleur indiquée : quelle est la déclaration correcte pour montrer une couleur de 4 piques ?

6) 1 Cœur ....   **7)** 1 Trèfle ....

Comment montrer une couleur de carreau ?

8) 1 Cœur ....   **9)** 1 Trèfle ....   **10)** 1 Pique ....

Lesquelles de ces séquences sont correctes, lesquelles sont incorrectes.

11) 1 Trèfle – 1 Cœur.......   **12)** 1 Cœur – 1 Trèfle.......

13) 1 Pique – 2 Carreau....   **14)** 1 Cœur – 1 Pique.......

15) 1 Cœur – 1 Carreau....   **16** 1 Trèfle – 1 Pique........

Impasses

Suivant leur but, les impasses se divisent en deux catégories :

1) L'impasse ordinaire, qui est une tentative de gagner une levée avec une carte qui n'est pas la plus haute carte (restante) de la couleur :

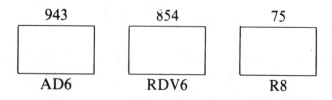

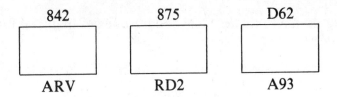

Cette dernière est une impasse dite «indirecte».

2) L'impasse agressive, qui est faite dans l'espoir de capturer une carte manquante (ordinairement un honneur) tenue par un adversaire et, de cette façon, gagner une levée supplémentaire pour son côté.

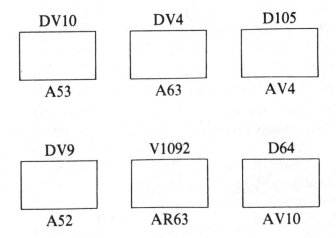

On peut aussi faire l'impasse de deux honneurs : c'est une impasse double.

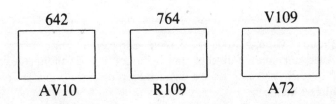

Quand on a seulement le Roi dans une des mains, il faut jouer petit vers le Roi :

R9

83

Vous ferez une levée en partant du 8, si l'As est à gauche.

Avec ARV64 et 852, on joue d'abord l'As en tête au cas où la dame serait singleton, puis on fait l'impasse au deuxième tour.

Pratiquez chez-vous

Pour vous aider à jouer une main, prenez une couleur et placez-la sur la table dans les diverses combinaisons d'impasses montrées plus haut et à la page précédente. Mêlez les autres cartes de la couleur au hasard et pratiquez les impasses.

Mêlez différentes mains de bridge ; examinez bien les quatre mains ; comptez les points d'honneur, les points de distribution et les levées de défense rapide. Décidez de l'ouverture. Regardez la main du partenaire. Décidez si cette main doit soutenir le partenaire ou si une autre couleur devrait plutôt être déclarée.

> Avec deux couleurs égales qui se touchent,[4] ouvrez la plus chère (non la plus belle). Redéclarez la moins chère.
> Avec Pique et Trèfle, ouvrez Trèfle, redéclarez Pique.[5]

---

4 . Pique et Cœur, Cœur et Carreau, Carreau et Trèfle.

5 . Avec une main faible et une belle couleur de pique, ouvrez pique. Si votre trèfle est beaucoup plus beau, ouvrez trèfle quand même.

La meilleure mineure

Quand vous ramassez une nouvelle main, la première question que vous devez vous poser est : «Puis-je ouvrir sans-atout ?» ; la deuxième doit être : «Puis-je ouvrir un pique ou un cœur ?».

Avec : ♠ AV84 – ♥ AR65 – ♦ RD98 – ♣ 6, vous avez 17 PH mais la distribution ne convient pas à sans-atout. Vous ne pouvez non plus ouvrir 1 pique ou 1 cœur car vous n'avez que quatre cartes de chacune des majeures.

Il vous faut donc ouvrir 1 carreau.

Avec : ♠ AV8 – ♥ A1094 – ♦ 84 – ♣ RD2, vous n'avez pas les point d'honneurs suffisants pour ouvrir un sans-atout, vous ne pouvez ouvrir un pique ou un cœur.

Vous devez donc ouvrir de votre meilleure mineure, soit un trèfle.

Même si l'on essaie de jouer plutôt en majeure ou en sans-atout, il est très souvent nécessaire d'ouvrir en mineure (avec trois cartes ou plus) pour arriver éventuellement à un contrat en majeure ou en sans-atout.

Un contrat en mineure demande onze levées et prend 29 points environ[6], tandis qu'un contrat en majeure demande 26 points et un contrat en sans-atout 25 ou 26 points d'honneur.

À cause du rang, une ouverture en mineure permet par contre au répondant de déclarer une majeure ou sans-atout au palier de un et contribue ainsi à tenir les enchères au plus bas niveau, si les mains combinées ne permettent pas une manche.

---

6 . Honneurs et distribution.

Dans chacune des mains suivantes, combien avez-vous de points HD ?

Quelle doit être votre ouverture ?

17) ♠ AD82
    ♥ D943
    ♦ AV5
    ♣ 83

18) ♠ RDV
    ♥ AD84
    ♦ 982
    ♣ D82

19) ♠ 63
    ♥ D842
    ♦ AD84
    ♣ AV8

20) ♠ D864
    ♥ RD82
    ♦ 62
    ♣ AR9

3

Jeu de la main à l'atout

Entame

Contre un contrat à l'atout, l'entame est différente de celle contre sans-atout. Vous n'entamez plus dans le but de faire des levées de couleur longue, mais dans le but de faire des levées rapidement. En effet, le déclarant pourra rarement couper vos As et vos Rois, mais il pourra couper vos basses cartes. Choisir la couleur d'entame est souvent un problème, mais entamer ensuite de la bonne carte, c'est de la routine.

La carte à entamer

Avec un doubleton, entamez toujours de la plus haute carte : **73 – 98 – 104 – V4**

Avec 3 cartes, entamez :

1) De la plus haute d'une séquence de 2 ou 3 honneurs : **AR8 – RDV – DV8 – V104 – 1098.**

2) De la plus basse d'un seul honneur troisième : **R63 – D94 – V82 – 1074.**

3) De la plus haute de trois basses cartes : 965 – 843 – 732 – 543.

Remarque :

Au sujet de l'entame de 3 basses cartes, il y a deux autres écoles ; en effet, certains entament de la deuxième plus haute, soit le 7 de 973 ; cette convention s'appelle MUD (Medium, Up and Down). Quand il joue le 9 au deuxième tour, son partenaire devrait maintenant savoir qu'il en avait trois.

La troisième école à laquelle adhèrent plusieurs experts, veut que l'on entame de la plus basse ; le joueur qui entame d'un neuf, si l'on joue cette convention, ne peut avoir un tripleton.

Chaque méthode a ses avantages et ses inconvénients.

Évitez d'entamer d'un As (si vous ne possédez pas le Roi). Vous ne récolterez que des basses cartes, et les As sont faits pour croquer les Rois ou les Dames.

Par contre, si votre partenaire a déclaré une couleur, entamez de l'As si vous l'avez. Avec quatre cartes ou plus, entamez de la plus haute d'une séquence ou la quatrième meilleure si vous n'avez qu'un seul honneur : RD106 – D9752.

Avec quatre basses cartes, il vaut mieux entamer de la meilleure : 8762 ou de la deuxième meilleure 9753[1].

Évitez d'entamer de deux honneurs qui ne se touchent pas comme RV4 ou D106, parce que ça peut facilement vous coûter une levée.

---

1. En certains cas particuliers, si vous voulez que votre partenaire sache que vous avez 4 cartes, il vaut mieux entamer de la quatrième (e plus petite).

La couleur à entamer

C'est un des plus fascinants problèmes du bridge.

1) Si vous avez déclaré une couleur et que votre partenaire l'a soutenue, entamez de cette couleur.

2) Entamez de la couleur de votre partenaire.

3) Entamez l'As de ARx(x) ou du Roi de RDV(x) ou RD10(x).

4) Entamez d'une couleur non déclarée par les adversaires.

5) Vous devez souvent procéder par élimination, parce que vous n'avez aucune bonne entame.

Code du déclarant à l'atout

1) Compter ses levées perdantes.

2) Se demander quelles sont celles qu'on doit sûrement perdre.

3) Chercher ce qu'on peut faire pour éviter la perte des autres.

    a) impasse.

    b) coupe au mort.

    c) coupe dans la main du déclarant.

    d) défausse sur couleur longue.

4) Se demander combien les adversaires détiennent d'atouts, et si l'on doit attendre avant de jouer atout. Un bon déclarant est un goujat : il se veut la seule personne à gagner des levées de coupe.

Relisez ce code plusieurs fois et repassez-le avant de jouer une main

Immédiatement après l'entame, et pendant que le déclarant fait son plan (repasse son code du déclarant), les défenseurs doivent aussi faire leur plan. Ils doivent chercher à découvrir le plan du déclarant. Par exemple, s'ils voient que le mort a un singleton, ils doivent normalement jouer atout chaque fois qu'ils prennent la main, pour empêcher le déclarant de couper ses perdantes. Il n'y a aucune loi du bridge qui empêche un défenseur de jouer atout même à l'entame, si les déclarations indiquent que le mort a une couleur courte.

Voyons maintenant cette main :

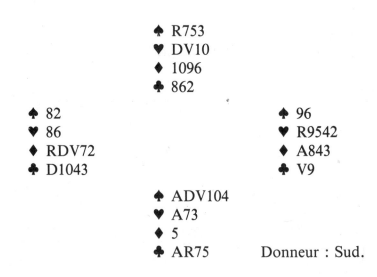

♠ R753
♥ DV10
♦ 1096
♣ 862

♠ 82   ♠ 96
♥ 86   ♥ R9542
♦ RDV72   ♦ A843
♣ D1043   ♣ V9

♠ ADV104
♥ A73
♦ 5
♣ AR75   Donneur : Sud.

1) Quelle est la déclaration d'ouverture de Sud ?

2) Quelle est la réponse de Nord ?

3) Que déclare maintenant Sud ?

4) Avec la main d'Ouest, quelle doit être l'entame ?

Le mort étend maintenant sa main.

Ouest continue de la dame de carreau, et le déclarant coupe. Sud doit maintenant faire son plan de jeu. Il compte ses levées, 5 en pique, 2 en cœur, 2 en trèfle et une coupe à trèfle au mort ; cela fait exactement 10, ce qu'il a déclaré. Il joue As et Dame de pique et tous fournissent, soit huit atouts et comme il en reste cinq dans sa main et au mort, les adversaires n'en ont plus.

Il attaque maintenant trèfle, la couleur la plus prometteuse. Il joue l'As et le Roi, puis donne un trèfle. Ouest revient du Valet de carreau, le déclarant coupe et joue son quatrième trèfle qu'il coupe au mort. Il joue maintenant la Dame de cœur, Est joue le 2, d'une manière normale, ni plus vite ni plus lentement que d'habitude, (ne laissant pas voir qu'il a le Roi), et le déclarant joue le 3. C'est une impasse, (un très bon moyen de faire une levée) et le mort l'emporte. Si Ouest avait eu le Roi, le déclarant aurait fait deux levées dans la couleur. Maintenant, en répétant l'impasse, il gagnera trois levées de cœur et un total de onze levées, soit une levée supplémentaire.

Tuyaux

Le mort n'étend sa main qu'après l'entame.

Faites le plus souvent une impasse pour le Roi : la moitié du temps vous gagnerez.

Pour faire une impasse, jouez vers le gros honneur.

Initiation à la marque des points

Marque	Levées déclarées réussies
Majeures : pique et cœur	30 points par levée[2]
Mineures : carreau et trèfle	20 points par levée[2]
Sans-atout :	40 points, 1ère levée[2]
	30 points chacune des autres[2]
Manche : 100 points	3 levées en sans-atout[2]
	4 levées en majeure[2]
	5 levées en mineure[2]

Note : Ces points s'inscrivent en dessous de la ligne

Bonis (au-dessus de la ligne)

Deux manches consécutives[3] : 700 points
Deux manches de trois[3] : 500 points

Note : Quand une équipe gagne une manche, toute partie de manche déjà gagnée par les adversaires ne compte plus pour une manche subséquente.

Levées additionnelles

Sans-atout : 30 points par levée
Majeures   : 30 points par levée
Mineures   : 20 points par levée

---

2. En plus du livre.
3. Deux manches réussies par la même équipe constituent un robre. La partie se termine quand une équipe a réussi un robre, et l'équipe gagnante est alors celle qui a accumulé le plus grand total de points (tant en-dessus qu'au-dessous de la ligne).

Inscrivez les points sur la feuille de pointage

	Nous	Eux

5) Nous déclarons 2 ♥, en réalisons 3.

Les adversaires déclarent et réalisent 4 ♠.

Nous déclarons et réalisons 3 ♦.

Nous déclarons et réalisons 2 ♠.

Nous déclarons et réalisons 5 ♣.

	Nous	Eux

6) Les adversaires réalisent 4 ♦, ils en avaient déclaré 3.

Nous réalisons 4 ♥, après en avoir déclaré 3.

Nous réalisons 3 ♣ (tel que déclaré).

Les adversaires réalisent 3 ♠, ils en avaient demandé 2.

Nous réalisons 5 ♥, nous en avions demandé 4.

Signaux

Quand votre partenaire entame de l'As d'une couleur et que vous détenez un doubleton, vous voulez qu'il revienne du Roi pour couper au troisième tour. Vous jouez alors la plus haute carte de votre doubleton. C'est un signal encourageant et quand vous jouez votre deuxième carte plus basse, vous faites un écho.

Votre partenaire entame du 8 de pique et l'As du mort est joué par le déclarant ; si vous détenez le Roi, vous signalez en jouant le plus gros pique dont vous pouvez disposer, (sans risquer de perdre une levée).

Les adversaires jouent un contrat à cœur, de quelle carte entamez-vous avec :

7) ♠ RD104   ♥ 862   ♦ 932   ♣ A82

8) Si votre partenaire a fait une relance à trèfle, quelle sera votre entame ?

4

Réponses à une ouverture
à un sans-atout
avec une main non balancée

Avec une main faible et une longue couleur (sauf trèfle), déclarez 2 dans votre couleur et votre partenaire devrait normalement passer.

Avec 10 points HD et une majeure de 6 cartes, déclarez d'emblée la manche, à moins que vous ne considériez que votre main peut valoir un chelem.

Avec 10 points HD et une majeure de 5 cartes, déclarez 3 cœurs ou 3 piques.[1]

Si vous pensez pouvoir aller au chelem avec une majeure de 5 ou 6 cartes, déclarez d'abord 3 cœurs ou 3 piques et votre partenaire vous dira s'il a ou non le soutien en déclarant 4 cœurs ou 4 piques ou 3 sans-atout.

Vous prendrez ensuite la décision appropriée.

---

1. L'ouvreur doit déclarer 4 dans la majeure s'il a un soutien de trois cartes ou plus ; avec deux seulement, il déclarera 3 sans-atout.

Avec 10 à 13 points PH et une mineure de 5 ou 6 cartes, déclarez 3 sans-atout.[2]

Votre partenaire a ouvert 1 SA, que répondez-vous ?

1) ♠ V109876
   ♥ 7
   ♦ D983
   ♣ 65

2) ♠ 98
   ♥ DV643
   ♦ D83
   ♣ AD7

3) ♠ 7
   ♥ AV9852
   ♦ 74
   ♣ A942

4) ♠ RDV862
   ♥ 73
   ♦ 8
   ♣ V864

5) ♠ 63
   ♥ DV76432
   ♦ 54
   ♣ 98

6) ♠ 4
   ♥ R72
   ♦ 9753
   ♣ ARV52

Avec : ♠ 872
       ♥ 10
       ♦ ARV942
       ♣ 875

Vous devez risquer 3 sans-atout. Celui qui a le plus de chance à la table d'avoir la dame de carreau est votre partenaire (dû à son ouverture à 1 sans-atout) et de toutes manières vous avez de fortes chances de faire au moins 5 levées à carreau.

Une longue couleur est une force à sans-atout.

Vous avez ouvert 1 sans-atout
avec cette main : ♠ R8
                  ♥ AD64
                  ♦ RV8
                  ♣ A643

---

2. Nous verrons dans mon deuxième manuel (chap. 2) comment procéder avec une longue mineure et une main ayant des chances de chelem.

Quelle est votre redéclaration, votre partenaire ayant répondu :

7) 2 ♠   8) 3 ♠   9) 4 ♥
10) 4 ♠   11) 2 ♥   12) 3 ♥

Entame contre sans-atout :

Si votre partenaire a soutenu votre couleur, entamez-la.

Si votre partenaire a déclaré, entamez de sa couleur.

Entamez la haute d'une séquence DV109, ou d'une séquence imparfaite RD1087.

Entamez la 4ième meilleure d'une longue et forte couleur : AV652, R10842.

Vos adversaires ont déclaré 1 SA – 3 SA : De quelle carte devez-vous entamer ?

13) ♠ RDV62   14) ♠ 862   15) ♠ DV107
    ♥ 9864   ♥ RV5   ♥ A84
    ♦ 6   ♦ D10843   ♦ 8542
    ♣ A84   ♣ 64   ♣ 92

16) ♠ A84   17) ♠ 64   18) ♠ V108654
    ♥ DV1064   ♥ D962   ♥ RDV83
    ♦ 32   ♦ 65   ♦ 5
    ♣ 842   ♣ A8532   ♣ 6

Vous défendez contre 3 sans-atout et votre partenaire a entamé de la dame de pique : le mort a deux basses cartes et vous avez les piques suivants, que jouez-vous ?

19) A8   20) R4   21) 9753   22) R92

Quand votre partenaire entame d'une couleur longue, il est généralement bon de retourner cette couleur si vous prenez la main ; cela augmentera d'abord sa confiance en vous et vous l'aiderez à établir sa couleur.

Après l'entame, pendant que le déclarant fait son plan, faites le vôtre. Il faut d'abord éviter l'erreur commune à la défense, de bloquer sa couleur longue.

Voyons maintenant la main suivante :

Mort

♠ 75
♥ DV3
♦ ADV86
♣ 954

Vous

♠ DV1093
♥ A92
♦ 54
♣ 632

23) Le déclarant joue 3 sans-atout. Quelle est votre entame ?

Déclarant

56

Votre partenaire prend votre dame avec le roi et retourne la couleur. Vous gagnez avec le valet et revenez du 10. Le déclarant prend de l'as et joue 5 tours de carreau.

24) De quoi vous défaussez-vous sur le 3ième carreau ?

25) Votre partenaire avait combien de piques au départ ?

26) Combien de piques avait le déclarant ?

27) Après avoir vu le mort pensez-vous que votre partenaire a des PH ?

28) Combien en a-t-il environ ?

Le 2 trèfles Stayman

L'objectif de cette convention est de localiser les fits 4-4 en majeures (pratiquement introuvables autrement).

La réponse de 2 trèfles à l'ouverture à 1 SA demande à l'ouvreur de déclarer sa majeure quatrième, s'il en a une, ou de déclarer 2 carreaux autrement. Si l'ouvreur a les deux majeures, il devra demander cœur.

Sauf exception, le répondant qui utilise la convention Stayman devrait lui-même posséder au moins une majeure quatrième.

Le répondant devrait posséder un minimum de 8 PH pour demander Stayman, mais avec une distribution 4-4-4-1, le singleton étant évidemment en trèfle, le répondant peut faire Stayman avec un jeu presque nul et passer toute déclaration de l'ouvreur.

Exemple :

♠ AD6	♠ V864
♥ A4	♥ 842
♦ RD84	♦ V932
♣ D842	♣ 8
1 SA	2 ♣
2 ♦	Passe

Même si l'ouvreur n'avait que trois cartes de carreaux, il vaudrait mieux jouer 2 ♦ que 1 SA.

Votre partenaire a ouvert les enchères à 1 SA ; vous demandez 2 trèfles et il redéclare :

a) 2 ♦   b) 2 ♥   c) 2 ♠   que redéclareriez-vous ?

29) ♠ R1063	30) ♠ AV96	31) ♠ A4	32) ♠ D6
♥ R5	♥ A4	♥ RD106	♥ RV108
♦ D652	♦ R1062	♦ R1093	♦ 10965
♣ 985	♣ 984	♣ 542	♣ D102

5

Déclaration après une ouverture en couleur

Au bridge, il faut toujours viser d'abord à jouer un contrat en majeure, en deuxième lieu en sans-atout et en dernier ressort en mineure.

Combien de points dans les mains suivantes ?

Quelle est votre enchère d'ouverture ?

1) ♠ A
   ♥ DV8764
   ♦ 92
   ♣ AD83

2) ♠ V97652
   ♥ ARD
   ♦ A 9
   ♣ 86

3) ♠ AV842
   ♥ RDV
   ♦ V4
   ♣ D94

Déclarations en majeures

		Exemples
Ouverture	=	1 ♠
Soutien simple	= 7 à 10 points au moins 3 cartes	1 ♠ − 2 ♠

Redéclaration par l'ouvreur

	Exemples
Main minimum (13 à 15 points)	1 ♠, 2 ♠, passe
Main d'invitation (16 à 18 points)	1 ♠, 2 ♠, 3 ♠
Main bonne pour la manche (19 points)	1 ♠, 2 ♠, 4 ♠,

Redéclarations par le répondant

Main minimum (7 à 8 points)	1 ♠, 2 ♠, 3 ♠, passe
Main maximum (9 à 10 points)	1 ♠, 2 ♠, 3 ♠, 4 ♠

Si votre partenaire a ouvert un cœur, vous devez, avec la main suivante :

♠ RD6, ♥ R1064, ♦ 64, ♣ 9862,

répondre 2 cœurs, mais si vous changez le 2 de trèfle pour l'As, vous devez alors faire un saut à 3 cœurs, montrant de 13 à 16 points.

Avec une main différente, une déclaration différente.

Comment améliorer la qualité de votre bridge

Essayez de faire la déclaration qui donnera à votre partenaire le plus d'informations possible au sujet de votre main. Tout au long des enchères et du jeu de la main, gardez présentes à l'esprit les déclarations de votre partenaire et de vos adversaires.

Jouez au bridge le plus souvent possible.

Le duplicata est un excellent remède contre le «mauvais» bridge.

Suivez la rubrique du bridge dans votre journal.

Utilisez l'autobridge pour améliorer vos déclarations et surtout votre jeu de la main.

Jouez avec différents partenaires.

Évaluation de la main :
(après l'ouverture)

Points d'honneur (PH)	Points de distribution (PD)		
		Déclarant	Répondant[1]
As = 4			
R = 3	Doubleton	1	1
D = 2	Singleton	2	3
V = 1	Chicane	3	5

Note : Points d'honneur + points de distribution = Points HD

Réévaluation de la main

Main de l'ouvreur

Distribution 4-3-3-3 = enlevez 1 point.

Aucun As = enlevez 1 point

4 As = ajoutez 1 point

Si votre couleur a été soutenue ajoutez 1 point pour la 5ième carte et 2 points pour chaque carte additionnelle.

Main du répondant

En couleur d'atout

Rxx(x) = 4 points

DVx(x) = 4 points

Dxx(x) = 3 points

Vxx(x) = 2 points

Réponse à une mineure

Sur une ouverture en mineure, le partenaire peut déclarer avec aussi peu que six points. Il va donner sa plus longue couleur. S'il n'a pas de longue couleur, il peut déclarer une couleur de quatre cartes, pourvu que ce soit AU NIVEAU DE UN.

---

1. Valeur totale PH plus PD

Avec plus d'une couleur de quatre cartes, il déclarera la plus basse. Chaque couleur aura ainsi une chance de devenir atout.

Avec : ♠ AV84, ♥ AR65, ♦ RD8, ♣ 64, vous ouvrez un carreau.

Votre partenaire, avec la main suivante :

♠ R95, ♥ D872, ♦ V965, ♣ 109,

demandera un cœur.

Tuyau

En réponse à une ouverture en mineure, si vous détenez deux couleurs de cinq cartes, déclarez d'abord la plus chère et au tour suivant déclarez l'autre.

En un clin d'œil

Ouverture	Réponse
1 ♦ (ou 1 ♣)	Avec six points ou plus, déclarez votre plus longue couleur.
	Déclarez les couleurs de quatre cartes par échelons.

Déclarant	Répondant
1 ♣	1 ♥
?	

Avec 4 cartes de cœur dans la main :

Déclarez : 2 ♥ avec 13 à 15 HD

Déclarez : 3 ♥ avec 16 à 18 HD

Déclarez : 4 ♥ avec 19 à 21 HD

Que déclarez-vous avec chacune des mains suivantes, si votre partenaire a ouvert trèfle ?

4)	♠ DV84	5)	♠ DV84	6)	♠ 8
	♥ RD863		♥ RV86		♥ RV86
	♦ A9		♦ 94		♦ DV943
	♣ 84		♣ 843		♣ 842

Quand votre partenaire ouvre un dans une couleur, que vous avez 6 à 9 PH et que vous ne pouvez faire une déclaration de couleur au niveau de un, vous déclarez 1 sans-atout.

C'est une réponse de courtoisie.

Autrement dit, avec 6 PH ou plus, vous ne pouvez passer.

Exemple : ♠ 85, ♥ R652, ♦ 853, ♣ D842.

Sur un pique, vous devez passer, vous n'avez que 5 PH.

Mais avec : ♠ 85, ♥ R1052, ♦ 852, ♣ DV32, vous déclarez 1 sans-atout.

Avec : ♠ 85, ♥ RD82, ♦ 1076, ♣ A943, vous dites encore 1 sans-atout mais pour déclarer ainsi, c'est le maximum de points que vous pouvez avoir. Avec un point de plus, trouvez une autre déclaration.

Avec : ♠ 85, ♥ RD82, ♦ 1076, ♣ AV94, dites 2 trèfles.

Si vous dites 1 sans-atout avec une main de plus de 9 PH, votre partenaire passera peut-être, comme il le fait souvent et vous pourrez manquer un meilleur contrat.

Sur un pique toutefois avec :

♠ 86, ♥ RD83, ♦ 986, ♣ A1084,

vous êtes trop faible pour dire 2 trèfles et vous demandez un sans-atout.

6

Réponses à une ouverture à un en couleur

0 à 5 points HD : Passe

6 à 9 (10) HD	**10 PH ou plus**
Soutenez la majeure avec 3 atouts ou plus.	Déclarez une nouvelle couleur, puis soutenez la couleur du partenaire (11 – 12)
Déclarez une nouvelle couleur au niveau de un (4 cartes ou plus).	Déclarez une nouvelle couleur au niveau de un ou deux.
Déclarez un sans-atout (courtoisie).	Déclarez une majeure de 4 cartes après une ouverture en mineure.

Soutenez la mineure du partenaire avec 4 atouts minimum (5 de préférence).

Sautez dans la majeure du partenaire[1] (13 à 16 points).

Déclarez 2 sans-atout[1] (13 à 15 PH).

Déclarez 3 sans-atout (16 à 18 PH).

Tuyaux

Quand une partie quelconque de votre corps touche la table, quelqu'un peut voir vos cartes.

Les levées remportées doivent être placées avec ordre, de façon que chacun puisse les compter facilement. Le déclarant remporte toutes les levées de son côté, et après six levées, il les ferme (c'est son livre). Il place ensuite les autres séparément.

C'est le partenaire du défenseur qui gagne la première levée qui la remporte, ainsi que toutes les autres.

---

1. Impératif à la manche.

Votre partenaire a ouvert 1 cœur.

Combien de points avez-vous et que répondez-vous avec chacune des mains suivantes ?

1) ♠ AD962
   ♥ 94
   ♦ 765
   ♣ D93

2) ♠ D103
   ♥ 84
   ♦ D9643
   ♣ R62

3) ♠ R94
   ♥ 86
   ♦ AD9862
   ♣ D8

Votre partenaire a ouvert 1 trèfle.

Combien de points avez-vous et que déclarez-vous ?

4) ♠ 876
   ♥ AD632
   ♦ RV4
   ♣ 32

5) ♠ A972
   ♥ 83
   ♦ D64
   ♣ 9754

6) ♠ R64
   ♥ R52
   ♦ V742
   ♣ 984

Votre partenaire a ouvert 1 pique, combien de points avez-vous et que déclarez-vous ?

7) ♠ R864
   ♥ 76
   ♦ R85
   ♣ AR84

8) ♠ 86
   ♥ AD8
   ♦ A862
   ♣ RDV9

9) ♠ 86
   ♥ AD8
   ♦ D862
   ♣ RD53

Votre partenaire a ouvert 1 cœur, combien avez-vous de points et que déclarez-vous ?

10) ♠ A52
    ♥ D953
    ♦ 875
    ♣ 932

11) ♠ 965
    ♥ 875
    ♦ D8
    ♣ D10872

12) ♠ AD862
    ♥ DV8
    ♦ 863
    ♣ 92

Si votre partenaire a ouvert et que votre adversaire de droite est intervenu au niveau de un, une déclaration de un sans-atout n'est plus une enchère de courtoisie et elle indique de 8 à 9 PH en plus d'un arrêt dans la couleur adverse.

Exemple : *Partenaire* _____ *Vous*

  1 ♦   1 ♥   ?

Avec : ♠ D84 – ♥ R85 – ♦ 1063 – ♣ RV42, déclarez 1 sans-atout.

Il ne faut pas, par contre, déclarer un sans-atout, si l'on peut déclarer un dans une couleur.

Si votre partenaire ouvre 1 cœur, dites 1 pique avec :

♠ R864 – ♥ D8 – ♦ V103 – ♣ 9852, et non pas 1 sans-atout.

Avec : ♠ RV642 – ♥ V43 – ♦ 96 – ♣ 985, dites encore 1 pique, vous avez six points avec votre doubleton.

Avec : ♠ RV8654 – ♥ 853 – ♦ 84 – ♣ 83, dites encore 1 pique.

Avec : ♠ 10864 – ♥ D43 – ♦ RV94 – ♣ 84, dites 1 carreau sur 1 trèfle.

Votre partenaire pourra déclarer 1 pique, s'il a quatre cartes de pique.

Important

Quand vous ouvrez les enchères, vous vous engagez à redéclarer, sauf : 1) si votre partenaire répond un sans-atout ou trois sans-atout. 2) s'il vous donne un simple soutien. 3) s'il a déjà passé.

Après les enchères suivantes, pouvez-vous passer ?

	Vous	Partenaire
13)	1 cœur	1 pique
14)	1 cœur	2 sans-atout
15)	1 trèfle	1 carreau
16)	1 cœur	3 cœurs
17)	1 trèfle	1 sans-atout
18)	1 pique	2 piques
19)	1 cœur	1 sans-atout
20)	1 pique	2 carreaux
21)	1 cœur	3 sans-atout

Avec quatre cartes dans la majeure demandée par votre partenaire, faites-lui savoir qu'une couleur d'atout a été trouvée et soutenez la couleur, en lui disant en même temps la valeur de votre main. Avec 13 à 15 points, donnez-lui un simple soutien, avec 16 à 18 points faites un saut à la couleur et avec 19 à 21 points, déclarez la manche d'emblée.

Avec chacune des mains suivantes vous avez ouvert un carreau et votre partenaire a répondu un cœur, quelle est votre redéclaration ?

22)	♠ RD86	23)	♠ RD86	24)	♠ RD86
	♥ AR73		♥ ARV3		♥ AR73
	♦ AV75		♦ D753		♦ 7532
	♣ 9		♣ 9		♣ 9

Si l'ouvreur a moins de quatre cartes dans la couleur du répondant, il peut déclarer une nouvelle couleur, s'il peut le faire au niveau de un.

Avec : ♠ AR86 – ♥ 842 – ♦ 9 – ♣ RD963, vous ouvrez un trèfle et votre partenaire répond un carreau, vous pouvez maintenant déclarer un pique même avec une main minimum (13 à 15 points).

C'est un pas de plus dans la recherche d'une couleur de huit atouts. C'est le système de déclarations par échelons qui a fait le tour du monde.

Il vaut mieux ne pas sauter une majeure de quatre cartes sans l'annoncer, et sur un trèfle, il faut souvent dire un carreau.

Si vous déclarez un sans-atout sur un trèfle ou un carreau de votre partenaire, vous lui dites normalement que vous n'avez ni quatre cartes de cœur ni quatre cartes de pique.

Quelle est votre ouverture avec les mains suivantes ?

25)	♠ A84	26)	♠ AR842	27)	♠ 643
	♥ 75		♥ DV8		♥ AR842
	♦ D64		♦ 64		♦ A86
	♣ AR752		♣ R93		♣ R4

28)	♠ 83
	♥ AD8642
	♦ 84
	♣ AR6

Votre partenaire a ouvert un cœur, que répondez-vous ?

29)	♠ 643	30)	♠ AD863	31)	♠ 63
	♥ D862		♥ 92		♥ R964
	♦ R7632		♦ 643		♦ 843
	♣ 9		♣ R82		♣ A975

Vous avez ouvert un cœur, votre partenaire vous a donné un simple soutien, que redéclarez-vous ?

32)	♠ R64	33)	♠ R4
	♥ AD983		♥ AR87654
	♦ V4		♦ D8
	♣ A94		♣ 63

Combien avez-vous de points ? Quelle doit être votre ouverture ? Quelle sera votre redéclaration si votre partenaire répond 1 pique, 1 sans-atout, 2 trèfles ?

34)	♠ 84	35)	♠ R87	36)	♠ D7
	♥ AV983		♥ D9		♥ D975
	♦ D6		♦ D9752		♦ RD984
	♣ AR98		♣ AR8		♣ A9

Combien avez-vous de points ? Quelle doit être votre ouverture ? Quelle sera votre redéclaration après une réponse de un pique, deux trèfles, un sans-atout ?

37)	♠ ARV	38)	♠ AD7	39)	♠ A
	♥ 96		♥ A752		♥ V8643
	♦ V9764		♦ RD8		♦ ADV74
	♣ R94		♣ 986		♣ V7

Vous avez ouvert un pique. Votre partenaire a répondu deux piques. Combien aviez-vous de points au départ, combien en avez-vous maintenant et quelle est votre redéclaration ?

40)	♠ AD984	41)	♠ AR9754	42)	♠ RDV963
	♥ 984		♥ DV8		♥ D97
	♦ A92		♦ 92		♦ 9
	♣ R8		♣ R7		♣ AR6

Votre partenaire a ouvert les enchères un carreau, vous avez répondu un pique et il vous a donné un simple soutien à deux piques. Que redéclarez-vous ?

43)	♠ D864	44)	♠ D864
	♥ 86		♥ A6
	♦ V975		♦ AV97
	♣ R93		♣ R93

7

Relances

Vous ouvrez votre main et vous avez : ♠ RD1063 –
♥ 5 – ♦ D94 – ♣ AD73 – 13 PH + 2 PD = 15 points
HD

Vous vous apprêtez à ouvrir les enchères, mais vous
entendez votre adversaire de droite dire : « 1 cœur ».
Qu'allez-vous faire ? Vous dites « 1 pique ». Vous avez
fait une relance et vous avez dit à votre partenaire :
« J'ai une belle couleur d'*au moins cinq cartes* et une
main qui possède au moins huit points d'honneurs,
puisque je relance au niveau de un. »

Remarquez que cette main peut en contenir davantage,
puisque les limites devraient être de 8 à 15 PH pour une
relance au niveau de un et de 10 à 15 PH pour une relance au niveau de deux.

Ce qu'il vous faut surtout pour relancer, c'est une belle
couleur, même une très belle couleur, contenant le plus
de gagnantes possibles.

Quand vous faites une relance, vous déclarez au plus bas niveau possible. Dans l'exemple ci-dessus, vous avez la chance d'avoir la couleur pique (la couleur la plus chère) et vous avez pu la nommer au niveau de un.

Si votre couleur avait été carreau, vous auriez dû dire 2 carreaux, vu que la couleur cœur est plus chère que carreau.

Relance

Pour faire une relance, il faut surtout une belle couleur comme :

ARD64 – AV10643 – AD10943 – RD10643

Au niveau de un :   8 à 15 PH

Au niveau de deux : 10 à 15 PH

Il faut surtout des gagnantes, particulièrement dans votre couleur d'atout.

Ne relancez pas au niveau de deux à moins d'être assuré que vous ne perdrez pas plus de deux levées à l'atout.

Quand vous avez fait une relance et que vous avez été pénalisé par 800 ou 1100 points, ne donnez pas l'excuse traditionnelle que vous aviez une main de 14 points : cela n'a rien à voir. En essuyant un revers semblable avec une main contenant 14 points, vous êtes mûr pour le club des poissons et votre couleur d'atout avait certainement une faiblesse. Peut-être, auriez-vous dû faire un contre d'appel, ou peut-être auriez-vous dû passer.

Ne relancez pas avec des couleurs semblables, surtout au niveau de deux : AD964 – RV864 – D10864.

Au niveau de un, si votre déclaration se veut une indication d'entame, relancez.

Exemples : a) ♠ ARV84   ♥ 863   ♦ 863   ♣ 86
          b) ♠ R84   ♥ RDV86   ♦ 863   ♣ 86

Après une ouverture de 1 carreau ou 1 trèfle, relancez :

a) 1 pique   b)1 cœur

Vous pouvez ainsi empêcher les adversaires de réussir 3 sans-atout.

Ne relancez pas dans une couleur dans laquelle vous ne pouvez soutenir l'entame de votre partenaire, telle :

♠ V9864   ♥ A83   ♦ A84   ♣ 84

Votre partenaire entamant le Roi de pique dans R5 ne sera sûrement pas très heureux de votre relance.

D'ailleurs, la première raison qui doit vous inciter à faire une relance, c'est de donner une entame à votre partenaire, si votre adversaire de gauche joue la main.

Réponses à une relance

Comment répondre à la relance de un pique ? Il faut répondre comme à une ouverture. Avec soutien (trois atouts) et 8 à 10 points HD, déclarez 2 ♠. Avec soutien et 11 à 13 points HD, sautez à 3 Piques.

Les déclarations sont identiques à celles faites en réponse à une ouverture, à deux exceptions près. D'abord vous avez remarqué que le saut dans la main se fait avec une main légèrement plus faible, et que ce saut n'est pas impératif.

Quand vous avez fait une relance avec une main plutôt faible, vous n'allez pas à la manche après le saut du partenaire. Par contre, si vous aviez l'équivalent d'une ouverture, vous déclarez la manche.

Avec ♠ RD1063 – ♥ 5 – ♦ 943 – ♣ R1073, vous auriez quand même fait une relance à 1 ♠, mais maintenant vous passeriez le saut à 3 Piques.

Au niveau de deux

La relance est plus délicate au niveau de deux. Avec ♠ 943 – ♥ 5 – ♦ RD1063 – ♣ DV73, vous passez, vous avez seulement 8 PH et votre main ne vous permet pas la relance.

Sur 1 ♣ par contre, vous auriez pu vous permettre une relance à 1 Carreau.

Avec : ♠ 864 – ♥ D4 – ♦ RV975 – ♣ AD4, vous avez une main d'ouverture. Mais votre couleur est trop faible pour une relance.

Avec un honneur de plus en carreau : ARV97 ou RDV97, vous auriez pu demander 2 Carreaux.

Tuyau

Vous pouvez ouvrir avec une main faible[1] mais pour relancer ayez une main forte en levées gagnantes.

---

1. 12 HD + 2 DR

La relance à un sans-atout

La relance à 1 SA est équivalente à l'ouverture à 1 SA, mais, en plus, elle promet deux arrêts dans la couleur des adversaires avec un jeu minimum (15 ou 16 PH), et un arrêt avec un jeu maximum (17 ou 18 PH).

Votre adversaire de droite a ouvert 1 Carreau. Que faites-vous avec chacune des mains suivantes ?

1) ♠ 984
   ♥ A5
   ♦ ADV42
   ♣ 852

2) ♠ 52
   ♥ ADV862
   ♦ A6
   ♣ 973

3) ♠ DV84
   ♥ AD96
   ♦ 9753
   ♣ 6

4) ♠ A8
   ♥ V9864
   ♦ RV83
   ♣ D8

5) ♠ DV10864
   ♥ 852
   ♦ A9
   ♣ A4

6) ♠ D843
   ♥ AV6
   ♦ AD9
   ♣ RV4

7) ♠ R93
♥ ARD832
♦ 9
♣ 752

8) ♠ RV76
♥ A52
♦ AV6
♣ A92

9) ♠ 5
♥ AD863
♦ 93
♣ RDV85

10) ♠ 952
♥ 93
♦ 762
♣ ARD96

11) ♠ 84
♥ AD62
♦ AR1092
♣ 95

Après les enchères suivantes :

Sud	Ouest	Nord	Est
1 ♦	1 ♠	Passe	?

Vous êtes en Est, que déclarez-vous ?

12) ♠ RD93
♥ 864
♦ 532
♣ 984

13) ♠ A83
♥ 964
♦ RD832
♣ 54

14) ♠ R104
♥ 32
♦ RV53
♣ RD63

15) ♠ A964
♥ 9642
♦ DV4
♣ AR

16) ♠ 8
♥ 9632
♦ A864
♣ V876

17) ♠ 96
♥ DV94
♦ A753
♣ 842

18) ♠ 8
♥ ADV9863
♦ 94
♣ R63

19) ♠ RV9
♥ R964
♦ RD73
♣ 98

20) ♠ A1062
♥ 6
♦ 9752
♣ DV74

Comment déclarer après une ouverture de votre partenaire et une relance de l'adversaire ?

Il faut répondre sans trop s'occuper de la relance. Après 1 ♥ ou 1 ♠ par exemple, vous donnez un simple soutien avec 8 à 10 points HD et trois atouts, mais avec 4 atouts raisonnables et 13 à 16 points HD, vous faites un saut à 3 cœurs (impératif).

Que déclarez-vous après les enchères suivantes ?
1 cœur – 1 pique – ?

21)		22)		23)	
♠	A8	♠	R42	♠	AV9
♥	DV84	♥	AV65	♥	V4
♦	AR4	♦	75	♦	9654
♣	8652	♣	9654	♣	R842

Stratégie

Le bridge comme la guerre demande beaucoup de stratégie, et la relance est une partie importante de la stratégie du bridge. D'abord, vous avez dirigé l'entame de votre partenaire, ce qui est très important car l'entame est peut-être le jeu le plus difficile du bridge et quelqu'un a déjà dit que celui qui trouverait toujours la bonne entame serait le meilleur joueur au monde.

En deuxième lieu, vous pouvez gagner les enchères, et faire une partie de manche ou même une manche, voire un chelem.

Troisièmement, vous avez compliqué la vie de vos adversaires, et c'est très important au bridge.

Certaines enchères font peur aux adversaires et les empêchent de faire une déclaration. Soyez agressifs ; additionnez vos points à ceux de votre partenaire. Souvent les points sont divisés environ 20 – 20 entre les deux côtés, et personne ne peut faire une manche.

Plusieurs mains par contre permettent 2 carreaux d'un côté et 2 piques de l'autre. C'est alors une lutte à finir et l'agressivité peut vous permettre de l'emporter ; souvent aussi il vaut mieux voir son contrat défait d'une levée plutôt que de permettre aux adversaires de marquer une partie de manche. Par contre il ne faut pas risquer d'être contré et d'être défait de deux ou même trois levées, ce qui pourrait vous coûter 500 ou même 800 points.

En un clin d'œil

Ouest	Nord	Est	Sud
1 ♦	Relance : 1 pique 8 à 15 PH / belle couleur 5 cartes ou plus	Passe	2 ♠ 8 à 10 HD[2] 3 ♠ 11 à 13 HD[2] N.B. Cette déclaration n'est pas impérative.

Pour déclarer 2 trèfles avec la main de Nord, il faudrait de 10 à 15 PH et une belle couleur de cinq cartes (ou mieux 6 cartes).

---

2. Avec soutien (3 piques ou plus).

8

Contre d'appel

Quand vous faites un contre d'appel sur la déclaration de 1 cœur de votre adversaire de droite, vous dites à votre partenaire : «déclare n'importe laquelle des trois autres couleurs, et je serai un bon mort pour toi».

Exemple 1 : AV95 – 9 – AV95 – A953

Pour faire un contre d'appel, vous devez avoir l'équivalent d'une main d'ouverture. Plus vous vous rapprochez de la distribution idéale du bon mort, moins vous avez besoin de PH. Vous pouvez contrer avec 11 PH et une distribution 4 – 4 – 4 – 1, le singleton étant évidemment dans la couleur de l'adversaire.

Exemple 2 : AV95 – 9 – A985 – D1094

C'est un minimum pour contrer 1 Cœur.

Le Contre peut être malsain toutefois même avec plus qu'une main d'ouverture, si vous n'avez pas un bon mort pour votre partenaire.

Avec le premier exemple ci-haut, vous ne pouvez contrer 1 Pique, car vous n'êtes pas prêt à soutenir une déclaration de 2 Cœurs de votre partenaire.

Évitez de faire un contre d'appel :

1) Quand vous êtes fort dans la couleur de l'adversaire.

2) Quand votre main a une distribution trop balancée.

Exemples : ♠ 984   ♥ A83   ♦ A964   ♣ AV3

Passez quelque soit l'ouverture de votre adversaire de droite.

♠ AD84   ♥ 63   ♦ DV83   ♣ A94

Contrez une ouverture de 1 cœur.

3) Quand vous avez une couleur de 5 cartes ou plus.

Exemples : ♠ RV942   ♥ AD8   ♦ A84   ♣ 83

Déclarez 1 pique après une ouverture de 1 cœur, 1 carreau, 1 trèfle. Vous êtes au palier de un et, en plus, la faiblesse de la couleur est compensée par la force de la main.

Avec : ♠ RDV1084   ♥ AD   ♦ 964   ♣ A8, après une ouverture de 1 trèfle, contrez puis déclarez pique. Il faut toujours contrer d'abord quand on a 16 PH ou plus.

Votre adversaire de droite a ouvert 1 trèfle.

Que devez-vous faire ?

1) ♠ 76   2) ♠ ARV9   3) ♠ RV63
   ♥ DV10865   ♥ D964   ♥ AV94
   ♦ A4   ♦ A83   ♦ R984
   ♣ A94   ♣ 83   ♣ 7

Adversaire	Vous	Adversaire	Partenaire
1 ♦	contre	passe	doit déclarer
1 ♦	passe	passe	contre
passe	vous devez déclarer		
1 ♦	passe	1 ♥	contre
passe	vous devez déclarer		
1 ♦	passe	2 ♦	contre
passe	vous devez déclarer		

Quand votre partenaire a fait un contre d'appel, vous devez absolument déclarer, sauf si vous passez pour les pénalités avec un grand nombre de hautes cartes dans la couleur de l'adversaire.

Moins vous avez de PH, plus vous devez déclarer. (Agissez comme si votre partenaire tenait un revolver sur votre tempe droite).

Dans les enchères suivantes, quels sont les contres d'appel et les contres de pénalité :

4) 1 ♥	Contre		
5) Passe	passe	1 ♥	contre
6) Passe Passe	1 ♠ 3 ♣	passe contre	2 ♦
7) 1 ♠	passe	2 ♣	contre
8) 1 ♦ contre	passe	1 ♥	2 ♣
9) 1 ♦	1 ♥	1 ♠	contre
10) 1 ♥ 3 ♣	passe contre	2 ♦	passe

Quand votre partenaire a fait un contre d'appel

Déclarez votre meilleure couleur de quatre cartes ou plus ; sautez avec 10 ou 11 points.

Déclarez la manche en majeure avec 12 points (ou plus).

Déclarez la manche en mineure avec 16 points (ou plus).

Déclarez Sans-Atout avec de bons arrêts dans la couleur des adversaires.

1 SA = 7 à 10 PH --- 2 SA = 11 à 12 PH

3 SA = 13 PH ou plus

Les enchères ont été comme suit :

	partenaire		vous
1 ♦	contre	passe	?

Que déclarez-vous avec chacune des mains suivantes :

11) ♠ 94
♥ A9754
♦ 8765
♣ 83

12) ♠ 9753
♥ 8764
♦ 975
♣ 74

13) ♠ RDV93
♥ 532
♦ RV4
♣ A8

14) ♠ DV8
♥ 752
♦ RV93
♣ A82

15) ♠ RV7
♥ DV
♦ AD84
♣ D863

16) ♠ V84
♥ V43
♦ A84
♣ D842

17) ♠ 52
♥ AD863
♦ 42
♣ A964

18) ♠ V84
♥ V83
♦ 92
♣ D10652

19) ♠ A9643
♥ 92
♦ 743
♣ D92

20) ♠ R964
♥ AD8
♦ 864
♣ R93

21) ♠ DV10
♥ 864
♦ RV4
♣ RD82

22) ♠ 84
♥ DV10
♦ A84
♣ RDV83

Redéclaration par celui qui a contré

Quand votre partenaire a fait une déclaration minimum :

13 à 15HD : passez, quel que soit le soutien à la main du partenaire.

16 à 18HD[1] : donnez un soutien simple.

19 à 21HD[1] : donnez un double soutien.

16 PH sans soutien : déclarez votre propre couleur.

18 PH ou plus : déclarez sans-atout si vous avez des arrêts dans la couleur de l'adversaire.

Tuyau

Autant le partenaire du contreur doit être agressif, autant le contreur doit être conservateur.

Si le partenaire a sauté (10 à 11 points) additionnez vos points à ceux du partenaire et prenez l'action appropriée (passez ou déclarez la manche).

---

1. Votre partenaire peut n'avoir aucun point.

Après les enchères suivantes, que déclarez-vous ?

	Vous		Partenaire
1 ♦	contre	passe	1 ♠
passe	?		

23) ♠ R8
    ♥ RDV8
    ♦ AV8
    ♣ RD94

24) ♠ 8
    ♥ A4
    ♦ RDV6
    ♣ ADV842

25) ♠ DV87
    ♥ A864
    ♦ 5
    ♣ RDV6

26) ♠ AV104
    ♥ AR64
    ♦ 93
    ♣ AD4

27) ♠ RDV8
    ♥ DV98
    ♦ 93
    ♣ AV7

28) ♠ RDV82
    ♥ AV1073
    ♦ A
    ♣ RD

29) ♠ AR84
    ♥ RD63
    ♦ 9
    ♣ D863

30) ♠ ARV84
    ♥ R63
    ♦ 83
    ♣ AV4

9

Contres de pénalité

Si vous pensez que les adversaires ne peuvent faire leur contrat, vous pouvez augmenter les bonis accordés pour défaire leur contrat en disant simplement : «CONTRE». Cela signifie que vous aurez plus de points pour chaque levée de chute de leur contrat, mais par contre, s'ils le réussissent, leur marque sera aussi augmentée de façon substantielle.

Pénalités

	Non Vuln.[1]	*Vuln.*[1]
Non contré-par levée de chute	50	100
Contré-1ère levée de chute	100	200
autres levées de chute	200	300

Boni pour contrat contré réussi : 50

Levées additionnelles : Non vuln.[1]   Vuln.[1]

Non contrées chacune :	Valeur de la levée	
Contrées chacune :	100	200

Si vous contrez des adversaires vulnérables et que vous leur infligez une chute de trois levées, vous marquez 800 points, ce qui est plus qu'une manche pour votre équipe. Par contre, si vous omettez de contrer, vous ne marquerez que 300 points ce qui est sensiblement inférieur. De là, l'avantage de contrer quand votre main vous le permet. D'un autre côté, si vous contrez et que vos adversaires font leur contrat, ils gagnent des points supplémentaires, et en plus, ces points comptent en-dessous de la ligne.

Un contrat de 2 cœurs contré réussi, donne 60 × 2 ou 120 points (en-dessous de la ligne), ce qui veut dire une manche, et en plus 50 au-dessus de la ligne, comme boni pour un contrat contré réussi.

Chaque levée supplémentaire donne en plus 100 points, non vulnérable, et 200 points, vulnérable (au-dessus de la ligne).

_____

1. Une équipe devient vulnérable quand elle a réussi une manche.

Conditions pour qu'un contre soit de pénalité :

1) Quand le partenaire a déclaré, a contré ou même a passé pour les pénalités (sur un contre d'appel de son partenaire).

2) Quand le contrat contré est de quatre ou plus.

3) Quand celui qui a contré a eu l'occasion de faire un contre d'appel et ne l'a pas fait.

4) Quand le contrat est en sans-atout. Toutefois, au niveau de 1 sans-atout, le partenaire qui a trop peu de PH et une longue couleur doit déclarer cette couleur.

Le contre de pénalité est strictement fait sur une base d'affaires. Les américains l'appellent souvent d'ailleurs « business double ». Comptez vos levées (espérées), additionnez celles que vous attendez de votre partenaire et agissez selon votre inspiration.

Exemple : votre partenaire ouvre un carreau et votre adversaire déclare un cœur, vous devez contrer avec : ♠ A1097 – ♥ AD107 – ♦ 7 – ♣ 9863 ..., et vous serez «en affaires» !

Si votre partenaire ouvre les enchères et que votre adversaire de droite intervient au niveau de deux, pensez plutôt à contrer si vous avez une forte envie de dire 2 sans-atout.

Exemple :	N	E	S(vous)
	1 ♣	2 ♦	?

Avec ♠ 84 – ♥ R953 – ♦ RV95 – ♣ DV4, contrez pour les pénalités.

Les plus beaux contrats à contrer sont sûrement 2 trèfles et 2 carreaux, car même réussis, ils ne donnent pas la manche (80 seulement) ; mais il faut être plus prudent si le contrat contré peut donner la manche et ne contrer que si l'on pense que la chute sera d'au moins deux levées.

Ne contrez pas si vos atouts peuvent être pris dans des impasses ; vous pouvez ainsi donner une levée au déclarant, car vous lui avez dit que vous aviez les honneurs d'atout qui lui manquent. Avant de contrer, réévaluez votre main. AD peut valoir deux levées si la couleur a été déclarée à droite et Rx peut valoir zéro, si vous croyez l'as à gauche.

Sauf contre sans atout, vous pouvez difficilement compter plus de deux levées dans une couleur et même une seule si c'est une couleur longue.

Ne contrez pas facilement si vous avez plusieurs cartes dans la couleur du partenaire ; un des premiers critères pour contrer est un singleton ou une absence dans la couleur du partenaire, ne serait-ce que pour l'empêcher de redéclarer cette couleur. Comptez une levée pour quatre atouts, même s'ils sont petits. Si votre partenaire a ouvert un dans une couleur, ou fait un contre d'appel, comptez trois levées chez lui ; s'il a ouvert un sans-atout, comptez quatre levées.

S'il n'a fait qu'une relance ou donné un simple soutien, comptez une levée chez-lui.

S'il a fait une déclaration préventive, ne comptez rien.

Toutefois, le contre de pénalité peut être enlevé par vous, si votre main ne sied pas à la défense, mais a un caractère nettement offensif. Si par exemple, vous avez ouvert à cause d'une belle distribution et que vous ne pensez pas faire les trois levées sur lesquelles compte votre partenaire.

Exemple :

Vous avez ♠ D86 – ♥ ADV1096 – ♦ 8 – ♣ A64

Les enchères sont les suivantes :

N	E	S	O
1 ♥	2 ♦	contre	passe
?			

Vous ne vous attendez pas à faire trois levées avec carreau atout ; vous déclarez 2 cœurs.

10

Chelems

Rien ne peut arriver de plus excitant à la table de bridge que de réussir un chelem déclaré.

Déclarer six, c'est un petit chelem, et sept, c'est un grand chelem.

Les bonis attachés à ces contrats réussis sont considérables, et les joueurs parlent longtemps du dernier chelem qu'ils ont déclaré ou joué, comme un chasseur parle longtemps du panache du dernier orignal qu'il a tué.

Petit chelem
33 à 34 points + contrôles[1]
Boni : Non vuln. : 500   Vuln. : 750

Grand chelem
37 points + contrôles[1]
Boni : Non Vuln. : 1,000   Vuln. : 1,500

2 Trèfles

Seule ouverture impérative

25 points (ou plus) – belle couleur de 5 cartes

23 points (ou plus) – belle couleur de 6 cartes

21 points (ou plus) – belle couleur de 7 cartes

(1 point de moins – avec 2 bonnes couleurs).

22 (ou plus) PH – main balancée

L'ouverture de 2 trèfles est conventionnelle, et elle est utilisée par au moins 80% des bridgeurs du monde. C'est une déclaration artificielle qui ne correspond pas du tout au trèfle où vous pouvez même avoir une chicane.

---

1. On appelle contrôle l'As ou le Roi dans une couleur, ou une chicane ou un singleton dans cette couleur.

Ouvrez 2 trèfles avec toute distribution
très irrégulière et 9 levées en majeure ou
10 levées en mineure.

Quelle est votre ouverture ?

1) ♠ R7
   ♥ ARV8643
   ♦ RD
   ♣ AD

2) ♠ ARD
   ♥ RD
   ♦ RDV9752
   ♣ A

3) ♠ AR943
   ♥ ADV87
   ♦ A
   ♣ R4

4) ♠ ARD
   ♥ AV
   ♦ RDV93
   ♣ RDV

5) ♠ RDV9
   ♥ AD
   ♦ ADV94
   ♣ RD

6) ♠ RDV
   ♥ AD8
   ♦ AV10853
   ♣ A

7) ♠ AV
   ♥ RD1076
   ♦ ADV
   ♣ ARD

8) ♠ RD86
   ♥ A94
   ♦ AD9
   ♣ ARV

9) ♠ ARD963
   ♥ AD
   ♦ DV9
   ♣ RD

Tuyau
Un bon guide pour l'ouverture à 2 trèfles est de n'avoir que 3 perdantes, ou 4 avec une distribution très irrégulière.

Réponses[2]

Le répondant annonce au 1er tour d'enchères ses PH.

2 ♦ : 0 à 3   2 ♥ : 4 à 6   2 ♠ : 7 à 9
2 SA : 10 à 12 PH (main balancée)
3 ♣ : 10 à 12 PH (main non balancée)
3 ♦ : 13 à 15 PH et ainsi de suite

En continuant par échelons de 3 PH

Votre partenaire a ouvert 2 trèfles que répondez-vous ?

10) ♠ D864
♥ 985
♦ R742
♣ 95

11) ♠ A964
♥ 742
♦ R94
♣ R53

12) ♠ 82
♥ AD752
♦ R94
♣ R53

13) ♠ 43
♥ D872
♦ D43
♣ AD72

---

2. Déclarations artificielles. – C'est une convention qui s'appelle : réponses par échelons (en anglais : step responses).

Avec une main balancée et 22 à 24 PH, il faut ouvrir 2 trèfles et redéclarer 2 sans-atout.

Avec une main balancée et 25 à 27 PH, il faut ouvrir 2 trèfles et redéclarer 3 sans-atout.

Changement de couleur à saut

Garantit la manche et invite au chelem

Par le répondant

17 points HD ou plus et une belle couleur ou un bon soutien.

Par l'ouvreur

19 points HD ou plus et (normalement) deux bonnes couleurs.

1 ♣ – 1 ♦	1 ♠ – 2 ♦	1 ♥ – 1 ♠
2 ♠	3 ♥	3 ♦

Votre partenaire a ouvert 1 carreau, que répondez-vous ?

Votre réponse est-elle impérative pour un tour ou jusqu'à la manche ?

14) ♠ 9
    ♥ AD10864
    ♦ ARV4
    ♣ R4

15) ♠ 64
    ♥ AD94
    ♦ R986
    ♣ AR6

16) ♠ ADV843
    ♥ R4
    ♦ 74
    ♣ ADV

17) ♠ AV4
    ♥ AD6
    ♦ 652
    ♣ RD86

18) ♠ RDV
    ♥ A
    ♦ RV842
    ♣ ARV4

19) ♠ A75
    ♥ RDV94
    ♦ A84
    ♣ 92

Un chelem à sans-atout est de l'arithmétique pure et simple ; votre partenaire a ouvert un sans-atout, vous avez une main d'ouverture à un sans-atout vous-même, vous êtes dans la zone du petit chelem.

En atout c'est plus compliqué, mais si votre partenaire ouvre les enchères (13 +) et que vous avez une main pour faire un changement de couleur à saut, vous êtes dans la zone du chelem.

Convention blackwood

4 SA demande les AS	5 SA demande les Rois

Réponses

5 ♣ = 0 ou 4[3]	6 ♣ = 0 ou 4[3]
5 ♦ = 1	6 ♦ = 1
5 ♥ = 2	6 ♥ = 2
5 ♠ = 3	6 ♠ = 3

Important

Celui qui demande les As devient le capitaine et c'est lui qui décide du contrat final.

Une déclaration de 5 sans-atout garantit que l'équipe a les 4 As.

Si vous avez les 4 As, dites d'abord 4 sans-atout et ensuite 5 sans-atout.

---

3. Il devrait être facile de savoir lequel des deux.

Que déclarez-vous après les enchères suivantes ?

Partenaire		*Vous*	
1 ♥	passe	3 ♦	passe
4 SA	passe	?	

20) ♠ A86
♥ R8
♦ RDV753
♣ RD

21) ♠ AR4
♥ 3
♦ ADV8742
♣ R9

22) ♠ DV
♥ RD84
♦ ARD642
♣ 4

Combien faut-il de points approximativement pour réussir ?

23) 4 ♠ ?   24) 5 ♣ ?   25) 6 SA ?   26) 7 ♥ ?

Votre partenaire ouvre 1 SA, que déclarez-vous ?

27) ♠ ADV3
♥ A74
♦ R83
♣ AR73

28) ♠ AV5
♥ RD4
♦ AR96
♣ 932

29) ♠ AR5
♥ DV4
♦ R94
♣ RV63

Vous avez ouvert 1 cœur et votre partenaire en a donné trois, que déclarez-vous ?

30) ♠ R54
♥ RD863
♦ AD4
♣ RD

31) ♠ 7
♥ ARV63
♦ D4
♣ ARV93

32) ♠ R63
♥ AV1064
♦ RV6
♣ R4

Appendice 1

Évaluation de la main

Points d'honneurs (PH) :	Points de distribution (PD) :	
	Déclarant[1]	Répondant[2]
As = 4	Doubleton 1	1
Roi = 3	Singleton 2	3
Dame = 2	Chicane 3	5
Valet = 1		

Note : Points d'honneurs + points de distribution = points HD

Levées de défense rapide (DR) :

AR = 2	AD = 1½	Rx = ½
A = 1	RD = 1	

Honneur singleton (HD)[3]	Honneur doubleton (HD)[3]
A = 4 + 2 = 6	Ax = 4 + 1 = 5
R = 2 + 2 = 4	Rx = 3 + 1 = 4
D = 1 + 2 = 3	Dx = 1 + 1 = 2
V = 0 + 2 = 2	Vx = 0 + 1 = 1

1-En réévaluation.
2-Avec soutien.
3-Dans la main du déclarant.

Corrections à apporter[2]

Aucun as :   enlever 1 point
Quatre as :   ajouter 1 point
Distribution :   4-3-3-3 : enlever un point
En sans-atout : main riche en 10 et 9 : ajouter
                                              1 point
En sans-atout : distribution 5-3-3-2 : ajouter
                                              1 point

Main de l'ouvreur :	*Main du répondant :*
Réévaluation de la couleur d'atout soutenue :	*En couleur d'atout*
5ième carte : 1 point	Rxx(x) = 4 points
6ième carte	DVx(x) = 4 points
et suivantes : 2 points	Dxx(x) = 3 points
chacune	Vxx(x) = 2 points

Main minimum pour ouvrir :

12 points HD
(si vous avez 2 DR)[3]
14 points HD
(avec moins de 2 DR)

Main pour réussir :

3 SA	: 25-26 PH
4 ♠ – 4 ♥	: 26-27 HD
5 ♦ – 5 ♣	: 29-30 HD
petit chelem	: 33-34 HD
grand chelem	: 37-38 HD

En 3ième main :

Plus faible – belle couleur – (surtout pique)

---

3. Il vaut mieux ouvrir avec une main faible et ne relancer qu'avec une main forte.

Appendice 2

Bridge contrat – compte officiel des points

Levées déclarées réussies : (en dessous de la ligne)

		Non contrées	Contrées	Sur- contrées
Trèfle ou carreau	:	20	40	80
Cœur ou pique	:	30	60	120
Sans-atout, 1ère levée	:	40	80	160
Sans-atout (les autres levées)	:	30	60	120

Points nécessaires pour une manche : 100

Une équipe devient vulnérable lorsqu'elle a réussi une manche.

Bonis (au dessus de la ligne)

Pour un contrat contré	:	50	
Pour un contrat surcontré	:	100	
Pour le robre en 3 manches[1]	:	500	
Pour le robre en 2 manches[1]	:	700	
Pour un robre incomplet :			
une manche	:	300	
Une partie de manche	:	50	
Petit chelem (déclaré)	:	50u NV	750 V
Grand chelem (déclaré)	:	1000 NV	1500 V

---

1. Robre : deux manches réussies par la même équipe. La partie se termine quand une équipe a réussi un robre, et l'équipe gagnante est celle qui a accumulé le plus grand total de points (tant en-dessus qu'au dessous de la ligne). Quand une équipe gagne une manche, toute partie de manche des adversaires ne compte plus pour une manche subséquente.

110

Points d'honneur :[2]

4 honneurs en une main (couleur d'atout)	:100
5 honneurs en une main (couleur d'atout)	:150
4 As en une main (contrat en sans-atout)	:150

Levées additionnelles :

	Non vulnérable	Vulnérable
Non contrées :	Valeur de la levée	
Contrées : (chacune)	100	200
Surcontrées : (chacune)	200	400

Pénalités :

	Non vulnérable	Vulnérable
Non contrée : chaque levée de chute	50	100
Contrée : première levée de chute	100	200
2e et 3e levées de chute	200	300
levées additionnelles	300	300
Surcontrée : première levée de chute	200	400
2e et 3e levées de chute	400	600
levées additionnelles	600	600

---

2 .On ne compte pas les points d'honneurs au bridge duplicata.

Réponses aux problèmes posés

Chapitre 1

Page 29

1) 17 - 1 SA
2) 16 - 1 SA
3) 16 - 1 SA
4) 19 - 1 ♣

5) 18 - 1 SA
6) 17 - 1 SA
7) 17 - 1 SA
8) 16 - 1 SA

9) 18 - 1 SA
10) 17 - 1 SA
11) 19 HD - 1 ♠

Page 30

12) 7 - Passe
13) 8 - 2 SA
14) 11 - 3 SA
15) 7 + - 2 SA
16) 8 - 2 SA
17) 9 - 2 SA

18) 6 - Passe
19) 8 - 2 SA
20) 10 - 3 SA
21) 7 - Passe
22) 18 - 3 SA

23) 17 - 3 SA
24) 16 - Passe
25) 17 - 3 SA
26) 16 - Passe
27) 17 - 3 SA

Pages 32-33

28) 9
29) 6
30) non
31) couper les communi-
cations
32) pique

33) en faisant l'impasse de
la Dame
34) 9
35) 5
36) en trèfle

Page 34

37) il prend du Roi
38) plan : il garde l'As du
mort comme entrée
pour les trèfles

39) 9 ou 10
40) 8
41) 1 ou 2 cœurs

42) il laisse passer ; il prend la 3ième levée
43) plan : il prend le 3ième carreau. Il joue le R de ♥ et
revient du V qu'il laisse passer. Si Est a la D, il ne
peut revenir ♦, ou s'il le peut les ♦ sont 4 – 4.

Chapitre 2

Page 38

1) 15 - 1 ♠
2) 15 - 1 ♠

3) 18 - 1 ♥
4) 11 - Passe

5) 10 - Passe

Page 40

6) 1 ♠
7) 1 ♠
8) 2 ♦
9) 1 ♦

10) 2 ♦
11) correct
12) incorrect
13) correct

14) correct
15) incorrect
16) correct

Page 44

17) 14 - 1 ♦
18) 14 - 1 ♣

19) 14 - 1 ♦
20) 15 - 1 ♣

Chapitre 3

Pages 48-49

1) (20) - 1 ♠   3) (21) - 4 ♠
2) (7) - 2 ♠   4) R de ♦

Page 51

5)

Nous	Eux
500	
30	
60	120
60	
60	
100	

6)

Nous	Eux
700	
30	30
30	20
90	60
60	
120	60

7) Roi de pique
8) As de trèfle

Chapitre 4

Page 54

1) 2 Piques.

En sans-atout, 3 points et peut-être aucune entrée en pique. Votre partenaire ayant au moins 2 cartes de la couleur, vous avez une couleur et 3 points de plus en atout.

2) 3 Cœurs.

Vous avez 12 points : si votre partenaire a 3 cœurs ou plus il va déclarer 4 cœurs, sinon il dira 3 sans-atout.

3) 4 Cœurs

À sans-atout, vous avez 9 points et le singleton de cœur est de mauvais augure. En Cœur, vous avez une couleur et 15 points. Votre singleton devient une force au lieu d'une menace.

4) 4 Piques.

À pique, vous avez 13 points et une couleur. L'ouvreur doit passer ; le saut à 4, dénie les valeurs nécessaires pour un chelem.

5) 2 Cœurs.

Comme pour le n° 1, vous devez « sauver » votre partenaire.

6) 3 Sans-atout.

Il faut déclarer 3 sans-atout. Il faut onze levées pour une manche à trèfle. Ne jouez un contrat en mineure que si vous ne pouvez jouer ailleurs. Avec le Roi de Cœur en moins vous inviteriez votre partenaire en déclarant 2 sans-atout.

Page 55

7) Passe	11) 3 ♥	15) D de ♠
8) 3 SA	12) 4 ♥	16) D de ♥
9) Passe	13) R de ♠	17) 3 de ♣
10) Passe	14) 4 de ♦	18) R de ♥

Page 56

19) As	22) 9
20) R	23) D de ♠
21) 7	

Page 57

24) 9 de ♥ ou 2 de ♣	26) 4
	27) oui
25) 2	

28) 6 ou 7 environ, dont 3 pour le R de ♠

29)	a) 2 SA	b) 2 SA	c) 3 ♠
30)	a) 3 SA	b) 3 SA	c) 4 ♠
31)	a) 3 SA	b) 4 ♥	c) 3 SA
32)	a) 2 SA	b) 3 ♥	c) 2 SA

Chapitre 5

Page 59

1) 16 - 1 ♥   2) 16 - 1 ♠   3) 14 - 1 ♠

Page 64

4) 12 - 1 ♥ [1]   5) 8 - 1 ♥   6) 9 - 1 ♦

Chapitre 6

Page 69

1)	8 - 1 ♠	4) 10 - 1 ♥	7) 15 - 3 ♠	10) 7 - 2 ♥
2)	7 - 1 SA	5) 7 - 1 ♠	8) 16 - 3 SA	11) 4 - Passe
3)	11 - 2 ♦	6 7 - 1 SA	9) 13 - 2 SA	12) 10 - 1 ♠

Page 71

13) Non	16) Non	19) Oui	22) 20 - 4 ♥
14) Non	17) Oui	20) Non	23) 18 - 3 ♥
15) Non	18) Oui	21) Oui	24) 15 - 2 ♥

Page 72

25) 14 - 1 ♣	28) 15 - 1 ♥	31) 9 - 2 ♥
26) 14 - 1 ♠	29) 9 - 2 ♥	32) 14 - 15 - Passe
27) 15 - 1 ♥	30) 9 - 1 ♠	33) 14 - 19 - 4 ♥

---

1. Changez les piques pour les cœurs, vous diriez 1 Pique soit la plus longue couleur

34) 15/1 ♥	35) 14/1 ♦	36) 14/1 ♦
2 ♣	1 SA	1 SA
2 ♣	Passe	Passe
3 ♣	3 ♣	2 ♦
37) 13/1 ♦	38) 15/1 ♦	39) 15/1 ♥
2 ♠	2 ♠/1SA	2 ♦
3 ♣	2 SA	2 ♦
Passe	Passe	2 ♦
40) 14/15 Passe	42) 17/20 4 ♠	44) 13/15-15
		4 ♠
41) 15/18 3 ♠	43) 13/15 + 7	
	Passe	

Chapitre 7

1) Passe	4) Passe
2) 1 ♥	5) 1 ♠
3) Passe	6) 17 PH/1 SA

7) 1 ♥	12) Passe	17) 7 - Passe
8) 1 SA	13) 2 ♠	18) 11 - 2 ♥
9) 1 ♥	14) 14 - 4 ♠	19) 13 - 3 ♠
10) Passe	15) 15 - 4 ♠	20) 10 - 2 ♠
11) Passe	16) 5 - Passe	

21) 16 - 3 ♥
22) 9 - 2 ♥
23) 9 - 1 SA

Chapitre 8

1) 1 ♥	2) 15 - Contre	3) 14 - Contre

Page 86

4) Appel
5) Appel
6) Pénalité
7) Appel

8) Pénalité
9) Pénalité
10) Pénalité

Page 87

11) 1 ♥
12) 1 ♥
13) 4 ♠
14) 2 SA
15) 3 SA
16) 1 SA

17) 4 ♥
18) 2 ♣
19) 1 ♠
20) 2 ♦
21) 2 SA
22) 3 ♣

Page 89

23) 1 SA
24) 2 ♣
25) Passe

26) 2 ♠
27) Passe
28) 4 ♠

29) 2 ♠
30) 2 ♠

Chapitre 10

Page 99

1) 2 ♣
2) 2 ♣
3) 2 ♣

4) 2 ♣ / 3 SA
5) 2 ♣
6) 2 ♣

7) 2 ♣
8) 2 ♣ / 2 SA
9) 2 ♣

Page 100

10) 2 ♥
11) 2 SA

12) 2 SA
13) 2 SA

Page 101

14) 2 ♥ / Manche
15) 1 ♥ / 1 tour
16) 2 ♠ / Manche
17) 3 SA / Non
18) 4 SA / Imp.- un tour
19) 1 ♥ / Imp.- un tour
Vous devez déclarer la manche au tour suivant
(ou faire une impérative).

Page 103

20) 5 ♦ /6 ♠	27) 7 SA
21) 5 ♥ /6 ♥	28) 6 SA
21) 5 ♦ /6 ♥	29) 6 SA
23) 26-27 HD	30) 4 SA
24) 29-30 HD	31) 4 ♣
25) 33-34 PH	32) 4 SA
26) 37-38 HD	

Ce livre est imprimé sur
du papier contenant plus
de 50% de papier recyclé
dont 5% de fibres recyclées.

Composition : Gervic inc.

IMPRIMÉ AU CANADA